Quelque chose est arrivé à Christiane

Éditrice : Pascale Morin
Infographiste : Johanne Lemay
Correction : Élyse-Andrée Héroux

DISTRIBUTEUR EXCLUSIF :

Pour le Canada et les États-Unis :
MESSAGERIES ADP inc.*
2315, rue de la Province
Longueuil, Québec J4G 1G4
Téléphone : 450-640-1237
Télécopieur : 450-674-6237
Internet : www.messageries-adp.com
* filiale du Groupe Sogides inc.,
   filiale de Québecor Média inc.

07-14

Charron Éditeur inc.
1055, boul. René-Lévesque Est, bureau 205
Montréal, Québec, H2L 4S5
Téléphone : 514-523-1182

Dépôt légal : 2014
Bibliothèque et Archives nationales du Québec

ISBN 978-2-924259-50-4

Gouvernement du Québec – Programme
de crédit d'impôt pour l'édition de livres –
Gestion SODEC – www.sodec.gouv.qc.ca

L'Éditeur bénéficie du soutien de la Société
de développement des entreprises culturelles
du Québec pour son programme d'édition.

Nous reconnaissons l'aide financière du gouvernement du Canada par l'entremise du
Fonds du livre du Canada pour nos activités
d'édition.

PIERRE
CARON

Quelque chose est arrivé à Christiane

RÉCIT

RECTO
VERSO
Une société de Québecor Média

DU MÊME AUTEUR

ROMANS
- LA VRAIE VIE DE TINA LOUISE
  Libre Expression, Montréal, 1980
  Typo, Montréal, 2004
- VADEBONCOEUR
  Acropole, Paris, 1983
  Libre Expression, Montréal, 1995
- LES AVENTURIERS DE LA
  NOUVELLE-FRANCE
  Belfond, Paris, l996
- MARIE-GODINE
  Libre Expression, Montréal, 1996
  Québec Loisirs, Montréal, 1997
- AQUA TUMULTA
  Éditions Recto/Verso, février 2014

TRILOGIE
LA NAISSANCE D'UNE NATION:
- THÉRÈSE
  VLB, Montréal, 2004
  Québec Loisirs, Montréal, 2004
  Anne Carrière, Paris, 2005
  en poche:
  Les éditions Bibliothèque québécoise,
  Montréal, mars 2009
- MARIE
  VLB, Montréal, 2005
  Québec Loisirs, Montréal, 2005
  Anne Carrière, Paris, 2005
  en poche:
  Les Éditions Bibliothèque québécoise,
  Montréal, octobre 2009
- ÉMILIENNE
  VLB, Montréal, 2006
  Québec Loisirs, Montréal, 2006
  Anne Carrière, Paris, 2006
  en poche:
  Les Éditions Bibliothèque québécoise,
  Montréal, 2010
- THÉRÈSE, MARIE, ÉMILIENNE
  Éditions Recto/Verso, Montréal,
  2013

SÉRIE
LE QUATUOR DE MONTRÉAL
- LETENDRE ET L'HOMME DE
  RIEN, Fides, Montréal, 2008
  Québec Loisirs, Montréal, 2009
  (finaliste pour le meilleur roman
  policier 2009)
- LETENDRE ET LES ÂMES
  MORTES, Fides, Montréal, 2009

RÉCITS
- QUATRE MILLE HEURES
  D'AGONIE, Québec-Amérique,
  Montréal, 1978
- MON AMI SIMENON
  VLB, Montréal, 2003
- PROMENADES DANS QUÉBEC
  VLB, Montréal, 2008
- L'HISTOIRE VIVANTE DES
  RÉGIONS HISTORIQUES DU
  QUÉBEC, Éditions de l'Homme,
  Montréal, Tome 1, 2008
  (gagnant du Prix des bibliothèques
  du Québec 2009)
  En collaboration avec l'historien
  Jacques Lacoursière.
- VAGABONDAGES... VISITES
  ÉMOTIVES DE 50 VILLES ET
  VILLAGES DU QUÉBEC, Éditions
  de l'Homme, Montréal, avril 2011

DOCUMENTS
- LES PETITES CRÉANCES,
  COMMENT S'Y PRÉPARER,
  Éditions de l'Homme, Montréal, 2004
- LE DIVORE SANS AVOCAT
  Éditions de l'Homme, Montréal,
  2006
- LIQUIDER UNE SUCCESSION
  Éditions de l'Homme, Montréal,
  2009

ÉDITIONS DE LUXE
- L'ÂME DE QUÉBEC, Photos de
  Claudel Huot, Éditions de l'Homme,
  Montréal, 2008

Pour elle, bien sûr.

En réalité, il n'y a pas d'expérience de la mort (...) tout juste s'il est possible de parler de l'expérience de la mort des autres.

ALBERT CAMUS, *Le Mythe de Sisyphe*

Quand on n'a pas d'imagination, mourir c'est peu, quand on en a, c'est trop.

LOUIS-FERDINAND CÉLINE

Avant-propos

Dans la vaine attente d'un événement qui me redonnerait le bonheur de vivre, je demeure coi. Des heures durant, le jour et souvent la nuit, paralysé dans mon deuil, je regarde ses photos sur le mur de mon bureau. Chaque fois que mes yeux s'arrêtent dans ses yeux, je me perds en réflexions déraisonnables où je refuse de croire qu'elle ne reviendra pas. Comme si, à m'attarder dans ces longs moments avec elle, je pouvais me permettre de croire que le pire n'est qu'illusion.

Je dis son nom, mais elle ne répond pas.

Alors, aujourd'hui, un lundi pluvieux de novembre, je m'y mets.

Cette nuit à trois heures quinze, mon portable a sonné, pour rien, et je n'ai pu me rendormir. Quand le soleil va monter, il va célébrer les images de Christiane, une bonne douzaine, que j'ai dispo-sées dans deux cadres. La voici adolescente avec une sorte de méfiance dans le regard, puis jeune femme à la beauté épanouie; avec nos deux fils, le cadet sur ses genoux, l'autre debout, une main sur l'épaule de sa mère; souriante en robe de mariée...

J'ai commencé plusieurs fois. Des bouts de phrases et même quelques paragraphes. Puis j'ai abandonné, jeté ces brouillons.

Christiane est morte dans mes bras le 8 juil-let dernier (2013) alors que les dernières lueurs du jour filtraient dans la chambre, lumière à la fois très légère et triste, un peu. Un éclairage qui déjà donnait à son visage des teintes qu'il n'avait jamais eues.

Je ne l'ai dit à personne, mais je conserve la photo prise à la seconde qui a suivi son dernier soupir. Pourquoi? Pourquoi, puisque je suis incapable de la regarder? C'est que depuis j'ai tant voyagé dans ma tête que je ne sais plus où j'en suis.

Après avoir reposé mon portable sur la table de chevet cette nuit, j'ai fait le ménage dans mes émotions. Ce matin, ma décision est sans réserve: je vais écrire la dernière vie de Christiane. Celle du temps de mourir, dix mois d'un espoir menteur jusqu'à ce qu'elle me confie, sans aucune révolte dans sa résolution:

— Quand j'en aurai fini de me réconcilier avec l'idée de ma mort, je vais dormir.

Et un lundi de grand soleil, à quinze heures très exactement, en harmonie avec ses propos, elle m'a annoncé :

— C'est maintenant. Je vais dormir. Et dormir…

Je me suis étendu tout contre elle, je l'ai pressée contre moi et j'ai fermé les yeux. Même couché, j'ai chancelé, un flot de larmes voulant forcer la barrière de mes paupières.

Mais j'y reviendrai, car avant il y a eu le temps du corps qui s'estompe dans le lent processus d'un combat perdu d'avance. Et pour paraphraser Georges Simenon, tout ce que je raconterai ici est vérité, ce qui ne veut pas dire que tout soit exact.

Chapitre premier

Un jour, c'était en août, je la vis qui souffrait – sans le dire, sans se plaindre – de maux abdominaux. Moi qui la regardais vivre, j'avais deviné que depuis quelques mois son corps la tracassait. Dans ces moments-là, elle se recroquevillait sur elle-même et sa belle humeur s'évanouissait.

Je lui ai dit qu'il serait avisé que le lendemain nous nous présentions aux urgences pour en finir avec ces malaises récurrents. Elle acquiesça. Avant d'aller dormir, elle choisit des vêtements qu'elle disposa au pied du lit.

Ce qui était tout à fait dans son caractère.

Au matin, je me suis éveillé brusquement : l'absence.

J'ai tâtonné de tous les côtés dans notre nid. Vide. L'évidence m'a dicté où elle était partie.

Pendant que je me préparais à la rejoindre, le téléphone a sonné. Sa voix, fatiguée mais quand même ferme, m'a dit de rester à la maison. Levée à quatre heures, elle attendait depuis tout ce temps dans une salle vide. Au cours des quarante-cinq dernières minutes, il lui avait semblé discerner un début d'agitation chez l'équipe médicale. Elle en déduisait qu'on en viendrait bien à s'occuper d'elle. De toute manière, il ne servirait à rien qu'on attende à deux, elle savait combien je n'ai pas sa patience.

Le jour était maussade. Le chat a miaulé pour sortir. Je lui ai ouvert la porte, mais le spectacle de la grisaille l'aura fait changer d'avis.

Après le déjeuner, je me suis rendu dans mon bureau. J'avais quelques chroniques en retard.

Christiane n'est rentrée qu'à midi. Épuisée. Son ventre avait beaucoup enflé au cours des dernières semaines. Un jeune interne l'avait auscultée et lui avait prescrit un médicament contre les ballonnements...

Rien contre la douleur.

Elle a dormi une partie de la journée.

Le ciel s'est libéré, à trois heures le soleil brillait. Entre-temps, le chat était revenu sur sa décision. Si j'avais rédigé mes textes, la tête embarrassée par l'état de ma bien-aimée, ce n'étaient pas mes meilleurs.

Le mois précédent, nous avions subi un déménagement très exigeant. On ne tourne pas le dos aisément à trente-quatre années vécues dans la même résidence. L'impression de renier les souvenirs de famille pesait. Nous éprouvions un sentiment d'impuissance en enjambant les cartons qui embarrassaient les pièces de la nouvelle maison entre les meubles en désordre.

Notre installation définitive avait été reportée à notre retour d'Europe. C'est ainsi qu'après l'épreuve, nous nous étions consolés par des vacances. À Royan, chez des amis absents de leur appartement pendant dix jours, nous nous étions véritablement oubliés dans le bonheur. Les villas sans taches, un ciel sans nuages, la plage sans touristes. L'harmonie de journées sans heurts, le temps limpide qui coule dans la douceur d'un climat complaisant.

Nos énergies renouvelées nous avaient poussés ensuite vers le voyage. En Pays basque. Un soir, à Biarritz, sur la promenade légèrement pentue en bord de mer qui prend à la sortie du Casino, Christiane s'est pliée en deux de douleur. J., notre ami pince-sans-rire, avait commis une blague et elle riait.

Aux larmes. Des larmes de douleur. Au ventre.

Rentrés au pays où nous attendait notre barda, son abdomen l'avait encore faite souffrir, même sans rire. Quand même, elle avait monté la maison pièce par pièce, comme on remet en place les morceaux d'un cœur brisé.

Ainsi nous avons recréé notre résidence dans une nouvelle propriété. Les enfants l'ont jugée plus jeune et plus lumineuse ; leurs épouses, plus accueillante et déjà plus familière que l'autre

Le chat a vite fait de s'y habituer.

Sans nouvelles de l'hôpital au sujet des analyses des prélèvements sanguins, et le corps toujours aussi préoccupant, Christiane prit rendez-vous en clinique privée. Même scénario : elle en revint sans traitement ni diagnostic.

C'est moi, c'est elle, je ne sais plus, qui informa Olivier, notre cadet, de la situation. Un médecin de ses relations contacta Christiane dans les heures suivantes.

À huit heures le lendemain matin, nous étions attendus dans un centre hospitalier de Montréal. Pour éviter le piège de la circulation à l'heure de pointe, nous nous sommes levés dès cinq heures et sommes partis aussitôt prêts. Déjà, un train de voitures fonçait vers la ville. Nous avons obligatoirement roulé à son rythme.

Après l'autoroute, ce furent les rues de la ville, nues à cette heure. L'aube commençait à poindre en dissipant lentement les restes de nuit et les néons s'éteignaient un à un.

À l'hôpital, la nuit couvait encore, les salles étaient vides, les ascenseurs bâillaient en vain. L'un d'eux nous porta au quatrième étage où une suite de corridors nous ont conduits vers un autre ascenseur. Cette fois nous sommes descendus au huitième.

Ces déambulations nous ont permis de nous préparer mentalement, chacun dans notre silence.

Christiane se rapporta à une jeune femme assise derrière un comptoir, devant l'écran d'un ordinateur. Elle me revint ensuite dans cette pièce adjacente où quelques autres personnes déjà attendaient. Des magazines féminins jonchaient une table basse.

Nous baignions dans un silence tendu. Une femme toussota. Un homme à ses côtés lui tenait délicatement la main ; en retour, elle lui offrait un sourire nostalgique.

J'observais Christiane. Elle murmura quelque chose que je n'entendis pas mais je saisis un léger bruissement : une femme âgée, d'apparence fatiguée dont les pas glissaient sur le plancher, se levait et allait à la fenêtre.

Je me suis tourné vers ma bien-aimée, mes doigts effleurant les siens. Oh ! à peine…

Nous sommes demeurés ainsi pendant un bon moment tandis que le personnel hospitaliser arrivait, sarraus blancs, sarraus bleus, l'air préoccupé.

Je ne sais à quoi j'avais le cœur, j'essayais seulement d'être là. Pour Christiane.

— Madame Bohémier?

— C'est moi.

Un jeune homme d'apparence avenante lui souriait. Plus encore, il fléchissait les genoux pour que son visage rencontre celui de Christiane.

— Je suis infirmier. Si vous voulez m'accompagner, nous nous rendrons dans différents services. Pour des tests.

Un instant, il se fit presque sérieux:

— Vous avez mangé?

— Moi? Non.

— Parfait. Venez.

Il se redressa, m'aperçut; mais ce n'est pas à moi qu'il posa la question.

— Monsieur est votre mari?

Je lui répondis que je l'étais et lui tendis la main. Il la prit avec la plus aimable des expressions.

— Venez. On y va.

Corridors, couloirs, ascenseurs. Nous étions atones et tristes.

Après une prise de sang qui nécessita une longue attente – dans ce département, ce sont les femmes enceintes d'abord –, notre guide conduisit Christiane au guichet des cardiogrammes.

La suite, c'est moi assis au milieu de malades tenant un numéro entre le pouce et l'index, un numéro qu'ils souhaitent que l'on appelle au plus tôt. Une tristesse diffuse m'assaillait. Une grande part de moi-même s'obstinait à refuser une réalité trop injuste et que j'ignorais : qu'est-ce qui grugeait, de l'intérieur, la santé autrefois si éclatante de Christiane ? En fait, je crois aujourd'hui que je ne voulais pas vraiment le savoir, ne pas l'apprendre. Il n'empêche que j'avais nettement l'impression que ce matin-là dessinait de mauvais présages, qu'il en était fait de ce qu'on appelait notre gentille vie.

Quand Christiane revint, l'inquiétude pointait, mais elle savait faire : ses traits demeuraient sereins. C'était au creux de son regard que je voyais des vacillements.

Le reste de la journée, ce furent cinq heures à déambuler d'un département à un autre : prises de sang, radios, électrocardiogrammes, échographies, échantillons d'urine, questionnaires pointus sur les multiples aspects de sa santé, nouvelles prises de pouls, de poids, de pression.

Et retour dans la salle d'attente.

Christiane n'a jamais eu à enjoliver les choses, elle les trouvait belles, et elle a toujours cru que l'avenir lui serait bon. Cet optimisme, inné comme une vertu, lui a fait de beaux enfants et un mari heureux.

Dans cette pièce exiguë, nos cœurs se rapprochent, je la regarde qui me regarde. Je sens qu'elle devine déjà ce que nous allons bientôt apprendre.

Une dame aux cheveux parfaitement noirs se présente, accompagnée d'une infirmière et d'un homme, un médecin sans doute.

— Je suis la docteure O…

Elle prend place devant Christiane, appelle à l'écran de son ordinateur un tableau composé de deux colonnes de données, à gauche des mots pour nous abstraits, à droite des chiffres sans davantage de signification.

— Je suis gynéco-oncologue… Vous comprenez ?

— Bien sûr.

Par quelque miracle, ma voix n'a pas flanché ? Il se dégage de la docteure une noble autorité, acquise et indiscutable. Ce qu'il lui faut pour tirer sur nous avec l'immense et cruelle nouvelle : cancer…

Un cancer très avancé. Trop, devinons-nous…

La docteure tente d'adoucir le trait avec des explications lénifiantes. Puis, après une pause pendant laquelle elle considère Christiane avec une expression proche de la tendresse :

— Vous avez des questions ?

Respirant profondément à plusieurs reprises, Christiane, d'une voix qui ne vise pas à l'effet, demande :

— Pourquoi moi?

Je cache mon visage en me détournant vers la fenêtre. Parce que c'est l'automne, elle diffuse une lumière rousse. Ou peut-être est-ce parce que j'ai les yeux embués?

On a d'abord roulé en silence. La ville était maintenant trépidante, les néons rutilaient. Les vitrines des grands magasins ajoutaient des pans de lumière au soir déjà fortement éclairé.

Nous suivions le mouvement des voitures incessamment arrêtées par la loi des feux rouges.

Je crois que nous ne pensions à rien, n'osant pas, préférant le vide. Quand nous avons rejoint l'autoroute, il nous a semblé que nous étions enfin entre nous.

Nécessairement nous avons pensé aux enfants.

— Il faut leur dire.

Je lui ai pris la main. Une main froide et fatiguée, qui s'est accrochée à la mienne. Les yeux de Christiane regardaient droit devant. Je me souviens qu'il s'est mis à pleuvoir et j'ai pensé que ce pouvait bien être à cause de ce qui nous arrivait.

Utilisant son portable, elle a parlé à Pierre-Alexandre, notre aîné, cherchant les mots pour annoncer la nouvelle jusqu'à ce qu'elle comprenne que ce n'était pas nécessaire : il avait lu entre les lignes. Alors, c'est elle qui l'a encouragé, qui lui a promis qu'elle « passerait au travers », qu'au printemps elle serait guérie.

Elle a cherché mon approbation et j'ai opiné de la tête.

Pour sa part, Olivier avait deviné. Les maux de ventre qui harcelaient sa mère depuis plusieurs mois l'avaient mis sur la piste et c'est lui qui a juré qu'elle « passerait au travers ».

Quand, dans la monotonie du trajet, nous nous sommes à nouveau rejoints dans le silence, elle a demandé au bout d'un moment :

— Est-ce qu'on a pensé à mettre le chat dehors avant de partir ?

Chapitre deux

Le lendemain, la roue du temps s'est engagée dans les ornières d'un champ de bataille. À cancer on ne pense pas guérison, mais combat.

En cette première journée, que Christiane était belle, si belle, si désirable, toujours pleine de sève et de vie. Inquiète, mais armée de tous les courages. Il n'empêche que moi, qui l'observais de l'extérieur, je la devinais éperdue d'inquiétude, d'humeur fragile, dubitative aurait-on dit, tel quelqu'un brusquement lâché en terre inconnue.

Mon cœur battait la chamade, refusait de s'apaiser.

Christiane arpentait la maison presque sans rien dire, s'arrêtant à l'entrée de certaines pièces, incertaine, comme si elle avait été en des lieux flous, lieux invitants mais trop nouveaux pour être familiers, et il me semblait qu'elle cherchait appuis et repères. À d'autres moments, elle avançait, les yeux fixes, le corps droit d'une statue qu'on aurait déplacée en prenant garde aux meubles.

Cancer…

Lucide, je crois qu'elle ne se voyait plus autrement que porteuse de souffrances et d'angoisses intarissables à venir. La mort ? Sans doute son esprit était-il trop conscient de ses forces vitales pour pousser ses réflexions jusque-là.

J'eus l'impression, au regard de son attitude mi-assurée mi-inquiète, qu'elle se trouvait maladroite dans cette épreuve et sans réponse à son déséquilibre naissant.

Elle revint à la chambre. Pour s'habiller. Un instant je vis que le lit lui faisait envie, qu'elle avait peut-être la tentation de s'étendre, de fermer les yeux pour se reprendre en main avant d'entamer sa journée. Elle a considéré le chat qui s'y était pelotonné, ce qu'elle lui interdisait d'habitude, mais elle n'en fit aucun cas.

Des livres traînaient sur sa table de chevet. Elle les déplaça et posa un plateau avec les médicaments qu'elle avait rapportés de l'hôpital. Plusieurs flacons de plastique translucide, trop nombreux pour elle qui détestait les pilules. Mais ses douleurs au ventre, que jusqu'alors elle avait jugées d'importance négligeable et supportables, venaient de prendre une tout autre signification. Ce n'étaient plus des malaises : elle était malade. Très. Assise, elle regarda les médicaments avec une résignation boudeuse.

Au cours de la nuit, pourtant noire et profonde, elle n'était parvenue à dormir qu'entre ses cauchemars, successions d'émotions déchirantes, fruits d'une nouvelle réalité dans laquelle elle venait d'être précipitée. La lumière du jour la dévoilait à elle-même et cela la heurtait, ce que révélaient ses gestes hésitants.

Et moi je me sentais aussi gourd qu'inutile. Reconnaître en elle la femme de ma vie me demeurait quand même aisé, car je ne voyais d'elle que l'image que je m'en faisais depuis quarante-quatre ans. Car, si l'on saute les années d'enfance, celles de l'adolescence et les premières de l'âge adulte, ma vie n'est qu'une histoire d'amour.

La nôtre.

Je suis *tombé en amour* un jour de la fête du Travail dans les années *peace and love* et, quarante-quatre ans plus tard, je le suis toujours.

Elle…

D'accord, c'était une beauté et elle l'est demeurée jusqu'à la fin ; mais il y avait beaucoup plus, car on ne réussit pas une si longue aventure uniquement à cause de l'esthétique. Nous avons grandi ensemble comme notre amour et, si nous avons vieilli, lui est demeuré jeune, l'amour n'ayant pas d'âge : il vit, il meurt.

C'était l'époque où je n'étais qu'ambitions indéfinies et rêves de grandeur, chauffeur de taxi la nuit dans les rues de Montréal alors métropole du Canada. J'allais de par la ville, d'une course à l'autre, reconduire des clients et revenais dans le centre pour en quérir d'autres. La tête ailleurs, j'écoutais les émissions de nuit qui déversaient dans ma voiture des conversations d'auditeurs insomniaques aux propos centrés sur eux-mêmes. Puis, je changeais de station pour écouter les succès de la musique pop, au petit matin surtout, quand la fatigue et la monotonie me gagnaient. Les nuits de semaine, passé une heure, à la fermeture des boîtes de nuit, la clientèle se faisait rare et je roulais, je roulais, dans les artères vides, persuadé qu'il se trouverait bien quelqu'un en quête d'un taxi qui me hélerait, le bras levé, parfois même sur le bout des pieds, tendu comme s'il y avait eu grande urgence. Souvent, c'étaient effectivement des acteurs de quelque tragédie urbaine, chicane de ménage, fuite d'un locataire en défaut de son loyer, mari infidèle pressé de rentrer auprès de sa légitime ou, encore, clients de bars tout juste assez dégrisés pour se souvenir de leur adresse.

Nuit après nuit, toujours le même scénario et toujours mon imagination en effervescence qui me masquait la médiocrité de mon sort.

Aujourd'hui, quand j'y pense, je crois que j'étais en dérive et que, n'eût été une rencontre exceptionnelle que la vie ne sert qu'une fois et, encore, pas à chacun, je me serais échoué. Échoué à cause de mon inconscience de ce que j'étais, c'est-à-dire rien ni personne, tout ailleurs dans mes chimères.

C'était au début de l'automne. L'été avait été chaud et les touristes nombreux ; les affaires, bonnes. Il n'empêche que j'occupais un appartement que je n'avais pas les moyens de meubler non plus que de payer.

Elle, elle habitait avec une amie un logement en sous-sol dans un quartier aujourd'hui décrépit. En contraste, elle fréquentait une institution d'enseignement sise dans le plus huppé des arrondissements de la ville. Lorsqu'elle avait débarqué de sa campagne, quelques années auparavant, elle avait vécu dans un appartement miteux d'une pièce et demie, dormant à même le sol faute de pouvoir s'offrir un lit.

Cet après-midi-là, un ami m'avait convié à aller avec lui rencontrer deux jeunes filles dont l'une avait accepté de l'accompagner chez un autre ami ayant accès à une piscine. Je frappai à la porte, rue Plamondon.

C'est elle qui m'ouvrit. Elle tenait un balai à la main et ses cheveux étaient ramenés dans un fichu noué au-dessus de son front comme en portaient les femmes de ménage. Son expression avait cette aura de mystère qui fait qu'on soupçonne tout un tas de réflexions derrière un visage nouveau. Son regard insistait, il me fouillait comme un intrus qui aurait dû être gêné de se trouver là.

La journée qui suivit fut des plus particulières.

Dans la voiture, j'eus la maladresse de prendre place sur la banquette avant. Mon ami me rappela à l'ordre et j'allai plutôt m'asseoir derrière, avec elle.

Christiane…

Ce nom n'allait plus quitter le centre de ma vie.

Les souvenirs sont essentiellement des émotions, a écrit le philosophe, et je me souviens des tours imprévisibles de nos premières heures ensemble comme des élans de mon cœur qui font battre ma mémoire. Un mélange de tendresse, d'admiration et de désir.

Elle souriait comme une enfant. Son beau visage avait la peau fraîche et ses cheveux la caressaient lorsqu'elle se tournait vers moi. Je ne la voyais qu'en tendresse et mots doux, et lorsque mes yeux ont trouvé son regard, j'ai compris qu'ils n'auraient de cesse d'y revenir.

Je sentis que j'en étais résolument habité et trois jours plus tard, après une séance de photomaton avec elle, dont je regarde en ce moment la première épreuve, je lui ai demandé de m'épouser.

La vie se résume à ce qu'on connaît et devant l'inconnu on ne peut que spéculer. La voix de Christiane, qui errait dans la maison au lendemain de la terrible nouvelle, marmonnait comme on prie, comme on veut croire à tout prix, et donnait raison à ce mot de Saint-Exupéry : « Rien n'est aussi menacé que l'espérance. »

Je me disais que la vie ne tient pas ses promesses.

Si seulement un rai de soleil avait percé la couche nuageuse, j'aurais pu m'en donner l'illusion d'un bon présage ; mais il se mit à pleuvoir.

Après avoir retiré son pyjama et avant de s'habiller, elle se regarda franchement dans le miroir. La jeunesse de son corps était toujours là et sa peau parfaite respirait la santé. Elle remarquait cependant sur son visage une expression qu'elle n'avait jamais connue avant.

Et je l'ai vue qui pensait, qui pensait...

J'aurais voulu lui demander comment elle se sentait, à quoi exactement s'accrochaient ses idées. En fait, j'aurais souhaité qu'elle me parle. Elle communiquait plutôt avec moi par petits sourires, par regards furtifs.

Peut-être aurais-je dû, moi, lui parler au lieu de me retrancher dans un silence inquiet; mais l'émotion étranglait la parole. En quelque sorte, j'ignorais où j'en étais par rapport à elle, moi étreint de chagrin, elle malade comme une condamnée.

Du plus loin que je remonte dans mes souvenirs, c'est une question que je ne m'étais jamais posée: comment vit-on avec une personne atteinte d'un cancer très avancé, alors que cette personne est celle que l'on chérit entre toutes?

Quand elle fut vêtue, je remarquai combien elle souhaitait demeurer coquette. Elle avait mis une blouse à col de dentelle, délicate et jeune, sous un blouson court, d'un vieux rose – que j'aimais tant –, une jupe longue, noire avec de légères arabesques grises. Puis, ces petites bottines vernies qui lui faisaient le pied si léger.

À peine maquillée, ayant seulement masqué les cernes de fatigue sous ses yeux, elle avait peint ses lèvres d'un peu de vie. Sa peau possédait encore la luminosité d'avant la catastrophe, alors que, lorsque je la pressais contre moi, elle sentait bon ce mélange de parfum léger et de cheveux propres.

J'aimais cette femme comme on aime la vie elle-même.

Nous avons déjeuné quasi sans rien dire. Je savais cependant qu'il nous faudrait converser, éviter de nous isoler chacun dans notre état de choc respectif et nous préparer à l'adversité. C'est moi qui fis le premier pas, mais de manière banale, en parlant d'autre chose.

— Olivier vient ce matin. Il m'a téléphoné hier soir lorsque tu étais couchée.

— Je sais. J'ai entendu votre conversation.

C'était ce que j'avais cru.

— Il sera là tôt, avant d'aller travailler.

Puis, elle se rendit dans son bureau pour consulter la boîte de sa messagerie électronique. Ensuite, farfouillant dans les tiroirs de son pupitre, elle étala des dossiers devant elle. Préparait-elle déjà «ses papiers» pour son possible grand départ?

Ce départ... Peut-être, mais nous n'y croyions, ni n'y pensions pas véritablement encore. Une telle idée ne s'impose pas. La vie elle-même ne s'adapte pas naturellement à un tel contexte.

Si Christiane n'était pas à organiser l'après de l'issue fatale, sans doute était-elle à planifier sa prochaine semaine d'enseignement. Depuis quelques années, elle était en retraite de sa carrière auprès des adolescents à qui elle avait enseigné le français pendant près de vingt ans. Comme elle me l'avait appris d'ailleurs, à moi qui lui dois d'être aujourd'hui écrivain. Maintenant, elle donnait des cours aux adultes, la plupart d'anciens décrocheurs. Elle aimait ce travail. Plus encore, elle en était fière.

Récemment, elle avait refusé de poser sa candidature au titre de directrice de l'école où elle travaillait. Tout le personnel et l'ensemble de la hiérarchie le lui avaient suggéré et l'avaient assurée qu'elle obtiendrait le poste ; mais elle avait refusé d'effectuer la démarche. C'est qu'elle se connaissait bien : elle était éducatrice et ne souhaitait pas changer de rôle.

Il n'empêche qu'elle était aussi la gérante hors pair de notre vie familiale, de ma vie professionnelle et la meilleure conseillère de mes enfants.

Par ailleurs, elle était restée en contact étroit avec ses anciens collègues de ses années d'enseignement, qui se référaient encore à elle pour des avis éclairés. Ce n'était pas seulement à son expérience et à sa compétence qu'ils venaient s'approvisionner, mais aussi à sa vision toute particulière de l'enseignement, de la pédagogie surtout, qui en avait fait un personnage essentiel.

Ses élèves la respectaient avec ce fond d'attachement qu'ils auraient eu pour une proche parente en autorité, et si elle avait des défauts – sans lesquels ils l'auraient boudée pour sa perfection – c'en étaient qui la rapprochaient d'eux. Elle ne cultivait pas ses vertus d'éducatrice pour elle-même ou ses pairs, mais pour ses étudiants.

Il me revient à l'esprit cette promenade que nous avons faite sur une piste cyclable un dimanche de mai, notre première après la fonte des neiges. Sans prévenir, deux adolescents à bicyclette nous ont doublés en nous frappant presque, nous ignorant complètement même s'ils avaient failli nous renverser. J'ai exprimé ma colère et les ai qualifiés de mal élevés, de dangers publics. Christiane, après ma tirade emportée, avait eu ce mot :

— Il faut les aimer pour les comprendre...

Elle se disait parfois épuisée par toutes les responsabilités qu'elle avait épousées. Car en plus d'enseigner, elle avait tenu les comptes de la maison, de mon étude de notaire et ensuite de mon cabinet d'avocat. Et puis, elle veillait aux besoins domestiques et à mille autres détails quotidiens, préférant que je ne m'en mêle pas, estimant que ces derniers champs lui appartenaient. Surtout que par un côté matriarcal de son caractère, elle adorait ça.

Femme amoureuse, elle m'aimait et faisait aussi de cet amour une activité à laquelle elle se dévouait pour mon plus grand bonheur. Jamais d'indifférence, de laisser-aller, de négligence. Christiane m'aimait et cela me donnait tous les courages, me donnait foi en toutes les possibilités, me conférait une incomparable fierté. En un mot, elle suppléait mes carences en me concédant l'illusion que je décidais seul.

En même temps, elle me permettait d'écrire, m'aidait à me débarrasser de mes ressentiments, de mes obsessions. Elle me libérait l'esprit de toute rancœur embarrassante.

C'était ma religion, et j'y croyais, mon directeur de conscience, et elle me pardonnait.

Jamais elle ne m'a empêché de faire quoi que ce soit, mais à plusieurs reprises elle m'a mis en garde. Et lorsque j'ai fait fi de ses recommandations, alors que les faits lui avaient donné raison et que je subissais les conséquences d'une de mes décisions irréfléchies, elle m'aidait à surmonter l'épreuve plutôt que de me reprocher mon étourderie.

Elle était de plus une fabuleuse lectrice, la première à qui je confiais mes textes. Son approche était toute attentive aux susceptibilités d'un auteur ayant déjà laborieusement construit ses phrases.

Lorsque Olivier est arrivé, nous étions à regarder une émission de télé sans intérêt et Christiane venait de dire :

— Je crois que je vais aller lire.

Comme moi, elle lisait beaucoup. De tout. Pas toujours les auteurs que j'aime, par exemple, elle n'était pas adepte de Chateaubriand et moi je ne l'étais pas de Sylvie Germain. On se rejoignait sur Simone de Beauvoir, cependant, nous goûtions fort les romans d'Henning Mankell et tous deux nous avions beaucoup aimé Georges Simenon. Avec moi, elle lui avait rendu visite à Lausanne. Ces deux-là s'étaient plu, le grand romancier s'amusant de la désinvolture polie de ce brin de femme pétillant qui avait osé quelques questions aux limites de la bienséance.

Christiane avait, depuis son jeune âge, compris que la lecture est plus qu'un loisir, une nécessité pour comprendre le sens de la vie et éviter de vieillir en vain.

Olivier arriva donc.

Jouant les frondeurs, sans doute pour cacher une peine aussi épaisse qu'une douleur, il parvint à sourire, regarda sa mère avec des yeux débordant d'amour. L'expression de mes traits n'était pas, disons, si détachée. Si bien qu'il me demanda :

— Qu'est-ce que tu as, papa ?

Attrapant la question au bond, Christiane répondit :

— Il est triste.

— Mais tu vas t'en sortir maman, allons !

Et elle, conséquente et volontaire, avec un courage dont elle n'était pas encore pleinement consciente :

— Bien sûr. Ce sera dur, mais on s'en sortira.

« On s'en sortira… » Elle n'avait pas dit qu'elle guérirait. Ce « on », c'était nous. On vivrait ensemble ce drame jusqu'au bout, quittes à aboutir ensuite chacun de notre côté de la vie.

Olivier le comprit. Son visage s'assombrit. Très vite cependant, il reprit un visage optimiste.

Christiane lui expliqua la suite des choses. Dès le surlendemain, ce serait son premier traitement de chimiothérapie, une première dose de poison qui devrait tuer les plus jeunes cellules de son corps, c'est-à-dire celles de son cancer.

Son ventre qui avait donné la vie allait devenir le théâtre d'un mortel combat.

Chapitre trois

La nuit suivante, j'ai dormi avec peine. À quatre heures du matin, j'étais levé et assis dans le bureau de Christiane qui deviendrait le mien.

Sur le mur du fond, une de ses photos me rappelait une anecdote de sa vie d'enseignante, un événement en fait, qui montre combien elle se donnait à ses élèves.

Je la vois penchée sur une étudiante et je me souviens.

Elle s'appelait Geneviève. C'était une jeune adolescente en révolte contre elle-même. Christiane souhaitait s'en approcher, l'atteindre, mais la jeune fille s'esquivait, lui échappait.

Rarement demeurait-elle assise, tranquille, et elle avait une conscience aiguë de l'effet qu'elle produisait sur l'ensemble des autres élèves.

Quand elle s'agitait trop, Christiane lui lançait un regard irrité, mais pas seulement. Souvent Geneviève quittait la classe sans prévenir. Quand Christiane lui demandait le pourquoi de ces sorties subites, ces sortes de fuites, elle se fermait, ne répondait rien. Et récidivait.

Il arriva plus d'une fois que Christiane dut la gronder et même l'envoyer au bureau du directeur.

Rien n'y changeait.

Il y avait des ruptures dans les yeux de Geneviève et elle avait une façon irritante d'éconduire les garçons. Elle était pourtant d'un physique agréable.

Parfois il venait à l'idée de Christiane qu'un chagrin terrassait l'étudiante, car il y avait dans sa révolte quelque chose de friable, de fragile. Plus encore, en différentes occasions il lui avait semblé que l'adolescente allait se confier. Puis, elle la voyait se refermer, se renfrogner. Chaque fois, Christiane regrettait qu'elle lui ait échappé alors que, par un drôle de revirement, ces moments, presque donnés mais aussitôt repris, la rapprochaient d'elle.

Geneviève n'était pas bête, Christiane en était persuadée.

Pourtant, elle doublait sa deuxième secondaire et se préparait à décrocher. Christiane le voyait dans le regard rebuté qui la défiait lorsqu'elle lui répétait qu'elle devait s'appliquer et cesser de considérer les heures de cours comme du temps volé à sa liberté.

Elle ne renonçait pas pour autant au projet d'atteindre cette étudiante. Elle le souhaitait et, plus encore, elle estimait que c'était son devoir. Elle en semblait perturbée, et un jour qu'elle m'en avait parlé, je lui avais fait remarquer que sa démarche n'était pas de l'enseignement. Elle m'avait répondu que c'était de la pédagogie.

Un matin, tout chez Geneviève, depuis une vivacité fébrile, des mines pointues chargées de colère et, même, une voix au ton péremptoire, alerta Christiane : une crise s'annonçait. Exceptionnellement, elle trouva un moyen justifiable d'abréger son cours, puis de convaincre Geneviève de demeurer un moment avec elle. Même si elle dut pour cela lui barrer la voie en se dressant devant la porte ; c'est butée mais consentante que la jeune fille se croisa les bras, se planta en face d'elle et accepta de l'entendre.

Les yeux de Christiane vinrent la chercher, comme elle savait le faire par sa sincérité transparente dont personne ne pouvait douter. Geneviève demeurait cependant sur ses gardes, méfiante, visiblement mal à l'aise.

Indécise sur ce qu'elle devait faire ou dire, Christiane y alla le plus simplement du monde :

— Qu'est-ce qui ne va pas, Geneviève ?

Silence.

Christiane vit le moment où son étudiante allait la pousser de côté et sortir.

Mais non : Geneviève tourna plutôt les talons et marcha vers l'une des grandes fenêtres ouvertes sur l'automne tombant en morceaux rouge et or qui ressemblaient à des feuilles.

En dépit de l'immobilité de chacune, il flottait une tension à couper au couteau. Il ne s'agissait pas de meubler une conversation qui n'aurait de toute manière pas lieu, mais de percer le mur d'entêtement érigé depuis des mois.

Christiane approcha Geneviève. Au risque de provoquer une réaction brusque qui enlèverait toute chance de communiquer avec l'adolescente lui tournant le dos, elle posa une main sur son épaule.

C'est un visage en furie qui, dans un mouvement rageur, lui fit face d'un coup.

Puis des mots déboulèrent dans ce langage appartenant à une génération que Christiane connaissait bien. Dans un mélange de phrases et d'expressions bousculées où le français est quasi langue étrangère, Geneviève lui lança qu'elle était enceinte et que c'était le résultat d'une relation non consentie avec un *chum* de sa mère.

Et après avoir repris son souffle, elle ajouta qu'elle était résolue à garder l'enfant.

— Ça s'ra toujours le mien, j's'rai tout le temps sa mère. Lui y va toujours m'aimer.

Et elle ne voulait pas qu'il ait un père en prison et que sa propre mère la déteste davantage.

À froid, Christiane n'eut que cette réflexion :

— Je comprends.

Geneviève ajouta, sentencieuse cette fois :

— Va pas l'dire à personne pis je veux que tu m'aides.

Même si Christiane acquiesçait de la tête, elle se savait obligée de nuancer son engagement :

— Tu dois dénoncer l'homme qui t'a violée.

— Pis toi ?

— Je ne le ferai pas, car j'ai accepté de ne livrer ton secret à personne.

D'une main qui osait à peine, elle toucha à nouveau Geneviève et ajouta :

— Oui. Je vais t'aider. Enfin, autant que je le pourrai.

La mimique de Geneviève demeura rébarbative, mais Christiane vit dans le brillant de ses yeux qu'elle était au bord des larmes. Craignant chez elle une réaction négative et peut-être violente pour avoir baissé la garde, Christiane n'ajouta rien et la contourna pour fermer la fenêtre, comme elle l'aurait fait de toute manière avant de quitter sa salle de classe.

Quand je sortis du bureau de Christiane, l'aube pointait. Je retournai m'étendre auprès d'elle, mais ne pus la regarder dormir comme je le souhaitais, car mon mouvement la réveilla.

— Quelle heure est-il?

— Cinq heures trente…

— Il faut y aller.

Vingt minutes plus tard, nous étions dans la voiture en direction de l'hôpital où Christiane allait recevoir son premier traitement de chimio.

Chapitre quatre

Dans les mois à venir nous n'allions pas nous y habituer : rentrer dans la ville à l'aube, avant que ne se lèvent les derniers pans de nuit, est une expérience qui fouette les ultimes relents de sommeil. La circulation a la frénésie d'un torrent lâché par la rupture d'un barrage.

Silencieuse, Christiane avait cette pose dont je soupçonne qu'elle en avait pris l'habitude chez les religieuses qui jadis lui avaient enseigné : assise très droite, le dos d'une main reposant dans la paume de l'autre.

On était en octobre et le temps était frais pour la saison. Elle portait ce manteau rouge qui lui allait si bien, cintré à la taille, parfaitement en harmonie avec sa silhouette, et une interminable écharpe de même couleur qui lui enveloppait le cou.

Parmi ces gens pressés de se rendre au travail, nous étions à l'envers des choses, dans les coulisses de la vie. Des palpitations nerveuses agitaient mes pensées, mais l'envie d'espérer me tenaillait encore davantage. J'étais résolu à croire que ma bien-aimée allait vaincre la fatalité. Même si je regardais fixement devant, la tête me tournait et je retenais des tempêtes de mots, ne sachant lesquels choisir.

Christiane était-elle pleinement consciente que sa vie allait définitivement suivre un autre cours ? Probablement qu'encore tétanisée par la nouvelle de son cancer, elle ne pouvait pas penser plus loin, affronter l'idée de terribles perspectives.

Lorsque j'ai stationné la voiture, le jour baignait dans une lumière incertaine : allait-il pleuvoir ou faire soleil ? Dans quel état rentrerions-nous après cette première séance de chimio ?

En descendant de voiture, Christiane eut ce trait sibyllin :

— J'aimerais me sentir mieux.

En août dernier, je m'étais rendu compte de son humeur changeante : repliée sur elle-même, perpétuellement tendue, noyée dans de sombres réflexions. Je me disais qu'elle regrettait notre choix; déménager dans ce village, loin, trop loin de la ville et de nos amis, avait peut-être été une erreur. Et je remarquais déjà qu'elle avait maigri, que ses gestes avaient moins d'allant. Elle multipliait les tasses d'eau chaude que depuis quelques mois elle buvait, pour se détendre, disait-elle. Jusqu'à ce dimanche de soleil froid quand elle me dit, comme on livre un aveu longuement retenu, que son ventre la faisait souffrir. Je crois lui avoir alors reproché de ne pas me l'avoir dit avant.

— Je croyais que ça passerait…

Patiente, elle savait attendre, prendre le temps qu'il faut, ne pas sauter aux conclusions. Ces tasses d'eau chaude soulageaient ses crampes abdominales alors pourquoi s'en faire?

Dans la salle d'attente, elle me confia que la veille elle avait effectué des recherches sur Internet. Elle estimait que toutes les informations calamiteuses qu'elle avait trouvées à propos du cancer des ovaires étaient trop extrêmes pour s'appliquer à son cas.

— Si l'on prend au sérieux ce qu'on y trouve, on se persuade d'avoir toutes les maladies!

Il n'empêche que sa santé s'était détériorée au cours des dernières semaines et je craignais qu'à ce rythme, elle doive s'aliter avant Noël. Je me gardai de le lui dire, persuadé que mon rôle était de la soutenir, non de l'accabler.

J'en étais à soupeser mes mots. Au point où j'hésitais avant de lui redire mon amour, redoutant qu'elle juge mes déclarations plus pathétiques que romantiques, et cela, même si elle en avait l'habitude, car j'ai toujours usé de profusion dans l'expression de mes sentiments. Maintenant tout changeait, lui faire la cour prenait une dimension dramatique.

Lorsque je l'avais convaincue de consulter au sujet de ses maux de ventre, j'ignorais à quel point j'allais regretter ne pas l'avoir fait avant. Aujourd'hui encore, Christiane, j'ai remords de ne pas t'avoir entraînée en clinique plus tôt, dès que les tasses d'eau chaude sont devenues une habitude. Nous ne pouvions pas savoir, me dirais-tu. Justement, parce que nous ne savions pas, il aurait fallu nous informer.

À l'hôpital, nous sommes demeurés peu de temps en attente. Une jeune infirmière vint nous chercher pour nous conduire dans une pièce anonyme, toute blanche, meublée de trois chaises et, d'un appareil qui me parut complexe sans que j'aie idée de ce à quoi il pouvait bien servir. Il y avait aussi un pèse-personne sur lequel on pria Christiane de monter. Ensuite, elle dut répondre à une série de questions relatives à son poids, à son appétit, à la qualité de son sommeil, à la densité et la régularité de ses douleurs, à son passé médical... Puis, on lui expliqua ce qu'il en serait des traitements de chimio, au nombre de six, espacés de quatorze jours. On aborda le sujet des effets secondaires, ce qui nous plongea dans une profonde perplexité.

Elle perdrait ses cheveux, souffrirait d'autres maux de ventre et, surtout, de nausées, serait très indisposée par des troubles intestinaux, perdrait l'appétit et le goût des aliments. Elle serait victime d'épuisement. En somme, la chimio allait la rendre encore davantage malade.

— Ça, c'est le pire scénario, non ?

L'infirmière acquiesça.

— Tu es forte, dis-je à Christiane, et je serai avec toi. Nous trouverons des moyens pour adoucir ces conséquences.

Après une légère pause pendant laquelle je lui flattais la nuque alors qu'elle demeurait silencieuse, j'ajoutai :

— Je ne te laisserai pas seule.

C'était ce que je lui avais dit quelques années auparavant, tandis qu'on me roulait en salle d'opération pour une intervention cardiaque. Elle avait suivi la civière jusqu'aux portes du bloc opératoire et au moment où j'allais les franchir, m'avait lancé :

— Ne me laisse pas seule !

J'avais levé un pouce en signe de victoire.

— Je ne te laisserai pas seule. Attends-moi !

Elle m'avait attendu. Pendant huit heures. Inconfortable sur une mauvaise chaise de plastique. Dans une pièce adjacente se trouvait un lit à la disposition des personnes qui comme elle attendaient le retour d'un être cher du bloc opératoire : mais elle avait craint de me rater à la sortie et de ne pouvoir être tout contre moi à mon réveil.

J'avais ouvert les yeux sur elle. Au pied de mon lit, un ange veillait sur mon retour incertain à la conscience. J'étais dans un état second, en perte de contact avec mon corps, groggy de médicaments qui m'avaient rayé de la vie pendant huit heures. Je renaissais avec une lenteur d'agonisant encore irrésolu à vivre ou à mourir.

Fébrilement, elle cherchait des signes de mon réveil.

Oui, Christiane était là. Comme depuis le premier jour où mon cœur à jamais a basculé dans son affection, elle était là avec toutes ses réserves de tendresse et son sourire maternel des heures graves quand elle s'inquiétait pour moi.

Intubé de plusieurs façons, j'avais même un tube qui me distendait la trachée-artère et un cathéter rigide et douloureux dans le bras droit, du poignet jusqu'à l'épaule. Dans les vapeurs de mon état, je devinais la présence feutrée d'une infirmière à mes côtés. Elle libéra ma bouche et mon bras.

Je ne crois pas avoir souri à Christiane tant j'étais encore assommé, mais il me revient qu'elle m'a parlé et que je n'entendais rien, mes oreilles bourdonnant de tension intérieure et mon esprit d'idées brouillonnes.

Dans les mois qui avaient suivi, elle m'avait infusé le goût de revivre.

Quand la stagiaire en finit avec ses questions, on conduisit Christiane dans une chambre où l'attendaient deux infirmières. Elles l'accueillirent avec les précautions que l'on prend pour ne pas ajouter aux souffrances d'une grande malade. Cette attitude nous inquiéta, car nous n'en étions pas encore là. Il nous restait du chemin à parcourir avant d'avoir pleinement conscience de l'abomination dans laquelle nos jours s'enfonçaient.

Après deux prises de sang, ce fut l'exercice contraire : on lui en transfusa. C'est que, Christiane ayant toujours été anémique, conséquemment son cancer avait aisément fait baisser son volume sanguin.

Enfin, on suspendit à la potence déjà en place à la tête de son lit deux sacs translucides remplis de liquide qui l'était tout autant.

La chimio.

Le traitement allait durer quatre heures.

Je restais près d'elle, mais sans intention de forcer la conversation.

Tant qu'on soignerait Christiane contre son cancer, je me dirais qu'il y avait de l'espoir. Il n'empêche qu'à son chevet, moi, dans la liberté de ma santé, je me culpabilisais de la voir, elle, prisonnière de son mal.

Bientôt, elle s'endormit. Je sortis un livre de ma serviette, m'isolai dans l'œuvre autobiographique de George Sand. L'écrivain du Berry a toujours eu sur moi un effet temporisateur. Son ton égal et lent me donne l'impression d'être en confidence avec elle. Dans ma solitude d'aide accompagnant et devant les perspectives qui se dressaient devant nous, j'avais besoin de me recueillir ainsi, seul à seul avec un auteur épousant mes sentiments.

Chapitre cinq

C'est le lendemain de sa première chimio que Christiane comprit à quel point elle était atteinte. Cela la heurta d'autant qu'à son réveil elle se sentait bien, à midi aussi. C'est plus tard que son corps cessa de lui appartenir et qu'elle eut l'impression d'être embarquée dans un esquif en péril. La tête douloureuse, le cœur en marée de tempête, le ventre en révolte, ses forces et son énergie en dérive. Elle avait mal, elle était mal et mal il lui en prenait d'avoir sous-estimé la cruauté du crabe dévorant l'intérieur de son ventre blanc. Se sachant innocente, coupable de rien, elle ne pouvait comprendre qu'un ennemi aussi vilain l'attaque.

Je ne pouvais rien faire. De toute manière, la crise la murait en elle-même et dans ce huis clos, je n'existais quasiment plus. Elle entreprenait un voyage qui allait la mener par-delà la frontière de la vie et je crois qu'elle le savait, comme elle savait que ce chemin fatal, elle le parcourrait seule. Car en dépit de ma détresse, forcément, je demeurerais du côté de la vie.

Vie, mort, des termes qui occuperaient désormais nos jours et nuits, nos pensées et nos paroles. Fini les ambitions, les projets, les rêves. Vivre d'heureux moments serait prouesse, s'éclater de joie, une échappée involontaire. Et ni l'un ni l'autre n'allions plus nous réveiller de ce cauchemar.

Je l'aidai à quitter la table sur laquelle elle avait posé un bol de soupe qu'elle n'avait pas touchée. Ses paumes étaient chaudes. Devant l'affolement que je dissimulais mal, elle estimera nécessaire de me rappeler qu'elle ne livrait pas bataille pour perdre. Je lui signifiais que j'embarquais dans son espoir, mais uniquement en secouant la tête, car ce n'était pas si simple. Le brouillard dans mes yeux et dans mon cœur m'empêchait d'entrer de plain-pied dans la réalité. De toute manière, je préférais demeurer en surface, ne pas me noyer dans l'inacceptable.

L'air grave, Christiane prononçait des mots épars entourés de grands silences. Près de la porte donnant sur la piscine, elle leva les yeux :

le soleil brillait. Cela ne suffit pas à alléger ses pensées ni à allumer son visage dont un destin tragique colorait la peau.

Après avoir picoré quelques bouchées, je pris une douche afin de chasser à la fois mes relents de fatigue et les odeurs de l'hôpital dont mon corps, ou ma mémoire, avait gardé trace. Je me lavais avec son savon qui sentait ce qu'elle-même sentait lorsque le soir elle venait me rejoindre au lit après s'être « débarbouillée ». Oh ! ces nuits avec Christiane, ces nuits à deux, ces heures de chaleur humaine, de soutien moral, de tendresse parfois exaspérée.

Je la retrouvai ensuite au salon, assise sur le canapé, ses yeux fouillant la pièce comme pour s'assurer que tout était sans un pli. Puis, elle s'est étendue et je suis allé prendre cette magnifique couverture de flanelle blanche, à motifs esquimaux, que lui avait offerte une de ses sœurs.

Alors que je croyais qu'elle somnolait, d'une voix qui évitait le ton péremptoire, elle me dit qu'il fallait téléphoner à la pharmacie, car on lui avait prescrit de nouveaux médicaments.

Elle me demanda de lui apporter l'appareil pour qu'elle effectue elle-même la démarche. Avec une infirmière, elle avait réécrit le nom des médicaments, illisibles sous la plume de la gynéco-oncologue, et elle en donna la liste. En dépit de son état, les mots sortirent bien trempés de sa bouche.

— Je fais livrer ou tu y vas ?

— J'y vais.

À mon retour, elle m'annonça qu'elle avait pris rendez-vous avec sa coiffeuse. Maintenant convaincue que le cancer lui imposerait le sacrifice de sa chevelure, soit elle reportait le moment de se faire tondre la tête et acceptait de perdre ses cheveux chaque jour par poignées, soit elle prenait les devants pour en finir avec cette perspective.

Ce qu'elle avait décidé de faire.

Au salon, consterné d'apprendre son cancer, on l'informa que ce service était offert gratuitement, et on la conduisit dans une pièce fermée, à l'abri de la curiosité des autres clientes.

Christiane, que déjà le superficiel agaçait, dut faire le choix d'une perruque dans un inventaire n'en contenant aucune qui lui plaise. Trop longues, trop courtes, surtout trop sophistiquées. Enfin, la coiffeuse en prit une couleur des cheveux de Christiane et la coiffa au goût de sa personnalité.

Lorsque ma bien-aimée revint me joindre dans un restaurant à côté où je l'attendais, elle arriva mal à l'aise et triste. Elle mit à l'épreuve mon regard qui la couvrait et je dois dire que je n'eus aucune envie de lui faire quelque compliment qui, de toute manière, lui aurait paru très maladroit. Plutôt, je la pressai dans mes bras.

À la maison, puisqu'il était maintenant six heures trente, nous avons écouté les nouvelles de France 2 comme à l'accoutumée. Ensuite, j'ai mis l'enregistrement de l'adaptation française d'une émission anglaise qu'elle n'aimait pas. Mais au bout d'un moment, elle dit:

— C'est bon...

Combien de fois n'avions-nous pas, elle ou moi, accepté de nous intéresser aux préférences de l'autre pour, souvent, les adopter?

C'est aussi ainsi que l'on s'aimait.

Je regardai ma montre: il était presque neuf heures et elle suggéra qu'on aille dormir.

Je l'aidai à se lever. Elle marcha vers la salle de bains. J'entendis couler l'eau. Dans la chambre, avant de passer ce pyjama à dessin joyeux que je lui avais offert à Noël, nue, elle me défia presque en affirmant:

— Mon corps est resté jeune, oui?

— Oui, dans toute sa grâce juvénile.

Elle s'est légèrement approchée du miroir, ce qui me donna, pendant un moment, de voir également son reflet. Deux fois une femme à la silhouette émouvante et gracile.

Étendue ensuite à mes côtés, elle me rappela que la jeune stagiaire l'avait prévenue à quel point la chimio la rendrait malade. Elle le constatait et devinait qu'à son deuxième traitement, déjà elle n'arriverait plus à organiser ses journées. Aussi, timidement presque, elle me dit qu'elle aurait besoin de mon aide.

Je ne pouvais voir son visage, mais je devinais l'expression toute innocente de quelqu'un qui déteste quémander et ne s'y résout qu'avec presque une grande gêne. Et je savais jusqu'à quel point lui était insupportable l'idée d'être forcée de ne rien faire.

Elle adorait son travail. Répétait à qui mieux mieux combien elle avait de la chance d'avoir eu une si longue et belle carrière. Mais pendant qu'elle énonçait ces vérités, des failles dans sa voix trahissaient une forte crainte : n'allait-elle pas devoir définitivement renoncer à l'enseignement aux adultes ?

Et pour quoi faire ? Observer, impuissante, l'évolution de sa maladie ?

La gynéco-oncologue avait parlé de traitement, pas de guérison…

— Avec toutes ces pilules, je vais tourner maboule !

Je sentais que cela la mettait en colère et que la colère était une autre façon de se battre.

Plus tard, elle me rappela encore ce que lui avait dit la docteure O., à savoir que le cancer des ovaires est l'un des plus sournois et difficiles à détecter ; même les gynécologues qui suivent leurs patientes de très près ne parviennent pas à en déceler les symptômes. C'est la hantise de leur pratique : qu'une femme qui les visite aussi régulièrement qu'ils le souhaitent leur annonce le terrible diagnostic. Car la grande majorité des malades ignore qu'elle couve un tel cancer, et les symptômes se manifestent trop tardivement pour qu'il soit possible de l'endiguer. Les maux de ventre en sont, mais qui n'en souffre pas à un moment ou un autre ? Même s'ils s'intensifient, il semble toujours que ce ne sont que malaises communs. C'est l'insistance de la douleur qui, peu à peu et souvent sur une période de plusieurs mois, inquiète et conduit aux séries de tests qui révèlent l'inéluctable.

Christiane avait toujours considéré ses prises de décision comme l'exercice d'un choix. Elle savait peser objectivement le pour et le contre. Dans les situations où elle avait à décider, elle se plaçait devant différentes possibilités. Même dans les circonstances les plus émouvantes, même là où son cœur était sollicité, elle trouvait des issues de secours lui permettant de refuser ce qui, autrement, aurait semblé incontournable. En même temps, elle savait éviter de rompre les ponts : ce n'était pas une personne de ruptures, car ses premiers choix étaient réfléchis. Ainsi, se retrouvait-elle rarement dans une situation non planifiée.

Je l'avais appris dès le début de nos fréquentations, de manière flagrante.

C'était peu de temps après ma demande en mariage. Qu'elle avait refusée, bien sûr. Qui étais-je pour descendre de mon taxi et lui proposer de devenir ma femme?

J'avais alors compris que le siège serait long et plus exigeant que je l'avais d'abord cru. Résolu cependant à le mener à terme, j'avais entrepris de multiplier les moyens. Je lui écrivais des billets dans lesquels je démontrais comment notre avenir commun ferait son bonheur, et lui téléphonais plus souvent que ne le permet l'étiquette. J'utilisais des mots que jamais je n'avais servis à quelque femme avant elle. Je les inventais, je les créais, presque désespéré de trouver ceux qui conviendraient pour séduire cette femme, car j'avais le désir que Christiane m'aime.

Ce siège dura bien quelques semaines. Plusieurs fois elle accepta de me revoir et je me souviens d'agréables promenades en auto, ces dernières allant devenir plus tard notre moyen d'évasion favori. Quoique peu argenté, je l'invitais au restaurant et déjà nous aimions le cinéma européen dont nous nous régalions au Dauphin (devenu depuis Le Beaubien). À ce propos, elle me raconta, plusieurs années après, combien de fois il était arrivé que ce soit elle qui paie pour ces agapes, moi constatant au moment d'acquitter un billet d'entrée ou de payer une addition que j'avais les poches vides... Elle ne croyait pas que j'avais prémédité ces situations, les mettant plutôt sur le compte de mon esprit par trop rêveur qu'elle découvrait alors.

Surtout, déjà nous parlions beaucoup littérature et Christiane lisait Simone de Beauvoir qui allait devenir mon écrivain de prédilection.

À cette époque, après mes longues nuits de taxi, au matin, autour de sept heures, fatigué de tenir le volant et en appétit, j'allais manger dans un restaurant de la Côte-des-Neiges. Madame Louise – la seule serveuse alors sur le plancher à cette heure matinale – me servait avec bonne humeur et s'enquérait du revenu de mes courses, curieuse aussi des anecdotes que je pourrais lui rapporter de mes heures nocturnes. Puis, c'était son tour : elle me parlait de son fils étudiant en médecine, fils unique qu'elle élevait seule, devenue veuve presque aussitôt après sa naissance.

J'occupais toujours la même place et souvent le cuisinier venait s'asseoir et m'entretenir de ses problèmes matrimoniaux. Ce qui ne m'intéressait guère, mais me flattait, car il me demandait des conseils que j'improvisais.

C'est ainsi que dans l'entre-deux de la nuit et du jour, immuablement je me libérais dans ce restaurant des clients nocturnes, des rues endormies et des heures monotones, et j'y abandonnais mon personnage de chauffeur de taxi pour investir celui de l'écrivain que je voulais devenir. J'avais toujours sur moi un livre que j'ouvrais à côté de mon assiette et, en quelques pages, j'étais ailleurs.

C'était là qu'allait se sceller mon destin, que ma vie allait véritablement commencer.

Nous étions, je crois, en septembre.

Un matin donc, j'arrivai au restaurant un peu plus tard qu'à l'accoutumée en raison d'une course (très payante) qui m'avait conduit à Saint-Lambert. L'endroit était quasi vide, à l'exception du plus imprévisible des personnages qui occupait ma place.

Les cheveux encore défaits, les yeux lourds de sommeil, les traits tirés d'une jeune femme ayant étudié tard, l'expression tout juste amène et les lèvres presque sévères, Christiane m'attendait. Même si nous n'avions pas rendez-vous, je me crus obligé de m'excuser pour mon retard ; mais ce n'était visiblement pas ce qu'elle souhaitait entendre.

Pendant que je la regardais, incapable de dire ce qu'il aurait fallu, je notai une fois de plus combien je la trouvais belle et combien j'en étais amoureux. La minute d'après, un pincement au cœur me faisait craindre qu'elle soit venue m'annoncer notre rupture et, moins encore que l'instant d'avant, je ne trouvais quoi dire.

Madame Louise assistait à la scène l'air dubitatif. Je savais qu'elle me souhaitait tout le bien possible et qu'elle devait être aux aguets des premiers mots de Christiane. Au fond de la salle, le cuisinier se montra la tête puis retraita voyant que je n'étais pas seul. Un client pénétra dans le restaurant et il me sembla qu'il perçut le climat tendu qui y régnait.

Sans préambule, d'une voix chaude de femme encore endormie, mais au débit concis et ferme, Christiane attaqua :

— Pierre, toi et moi allons passer un pacte. Et ne crains rien, j'entends bien le respecter.

Sans savoir dans quoi je m'embarquais mais pressé de convenir avec elle, aussitôt je lui dis :

— Moi aussi.

— Écoute… J'accepte de me marier avec toi, et toi tu cesses de me poursuivre de tes épanchements d'amoureux au bord de la crise. Tu comprends ? Tu me permets de terminer mes études en paix (*en paix*, ce fut son expression, comme quoi elle avait bien compris que je lui faisais la cour comme on assiège une place forte…). Tu arrêtes de me téléphoner tard en soirée, ou la nuit – oui! tu l'as fait – et même le matin avant sept heures. Sept heures… Tu m'entends?

Bien sûr que j'entendais: je buvais ses paroles. Et madame Louise, mine de rien, faisait de même.

Irrespectueusement, j'étais si heureux que j'avais peine à garder mon sérieux. L'indéfinissable simplicité avec laquelle elle venait d'engager sa vie à m'aimer et la certitude que j'entreprenais à l'instant une vaste histoire d'amour me dictaient des mots comme « je t'aime », « mon amour », ainsi que l'envie de lui prendre les mains au-dessus de la table.

Nous étions jeudi. Elle m'informa qu'elle préparait un examen pour le lendemain et que le plus important, encore à venir, lui demanderait une préparation de tout le week-end.

Devais-je protester devant la perspective d'un week-end sans elle ou est-ce qu'une telle remarque allait être un geste fait à l'encontre de notre pacte? Je choisis de ne rien dire.

— Dimanche, Pierre, je pourrais te voir dimanche, dans l'après-midi. Pas avant.

Puisque je l'avais vue presque tous les jours ces derniers temps, je freinai mon impatience et acceptai ce rendez-vous reporté.

Je jetai ensuite un coup d'œil à madame Louise qui comprit qu'elle pouvait maintenant venir prendre notre commande. Mais Christiane se leva, prête à partir.

— Je dois rentrer me préparer pour mes cours.

— Mais...

— Et j'ai déjà déjeuné.

Elle portait ce costume imposé par l'institution religieuse qu'elle fréquentait, une blouse sur jupe plissée avec ourlet à la hauteur du genou. Plus tard, elle allait encore souvent porter des jupes, mais plus longues, auxquelles le mouvement de ses hanches donnerait une ondulation du plus bel effet.

Derrière la porte vitrée du restaurant, avant de s'engager dans le court escalier menant au trottoir, elle se retourna et me fit signe de la main en souriant.

Je me suis dit alors qu'en fait, c'est moi qui venais d'accepter une demande en mariage...

Huit mois plus tard, mois pendant lesquels je pris bien garde de ne pas mentionner l'idée de notre mariage de peur qu'elle en change, j'ai épousé celle qui – je le savais d'instinct – était la femme de ma vie.

Alors qu'elle marchait de son appartement jusqu'à l'église, où nous attendaient à peine une dizaine d'invités et un jésuite de nos amis, Christiane aperçut un avion et eut, me dit-elle par la suite, cette étonnante réflexion :

— Seigneur, faites que cet avion tombe si je ne dois pas épouser Pierre.

Heureusement pour moi, mais surtout pour ses passagers, l'avion ne décrocha pas et Christiane prononça le oui définitif dans le plus beau des sourires, le sien.

C'était le début d'un roman exceptionnel, celui d'un amour sans intermède contre lequel cependant, toujours prudente, elle s'était prévenue. Ainsi, le soir de nos noces me fit-elle le commentaire suivant :

— Tu sais Pierre, si dans trois ans je ne suis pas éperdument amoureuse de toi, je te préviens, nous divorcerons.

Heureusement, trois ans plus tard elle ne fit mention de rien, ni non plus pendant les décennies qui suivirent.

Chapitre six

En dépit de l'inéluctabilité de son sort, en aucun temps Christiane n'a-t-elle cessé d'être elle-même. Et c'est aujourd'hui, après avoir traversé avec elle tous et chacun des instants la menant à la conclusion de son destin, que j'en vois la raison: c'est qu'elle était une personne parfaitement accomplie.

Mourir n'est pas partir mais s'éteindre. Aussi, les habitudes et rythmes, les manies et gestes du quotidien, leur récurrence qui participe à notre équilibre demeurent-ils inscrits dans notre manière d'être, même lorsqu'on est très diminué.

Peu avant Noël, Christiane devait subir une hystérectomie. Dans les circonstances qui justifiaient cette intervention, elle la souhaitait. Elle voulait croire que cette chirurgie pourrait éradiquer son cancer.

Aussi fut-elle catastrophée lorsqu'on la jugea trop faible pour le bloc opératoire.

— J'en suis déjà là ? avait-elle fait remarquer à la chirurgienne, qui allait être la docteure O.

Ce n'était que partie remise, lui expliqua cette dernière afin de ne pas compromettre le combat que Christiane entendait livrer au maximum du possible.

L'équipe médicale se pencha sur son dossier afin d'établir un protocole de traitements pour la prochaine quinzaine, lequel devait avoir pour résultat que Christiane soit assez forte pour être opérée.

C'est ainsi qu'au jour de Noël, au lieu d'entrer en convalescence de sa chirurgie ainsi qu'on l'avait prévu, Christiane récupérerait plutôt mal, comme il en était après chaque traitement de chimiothérapie.

Peu de temps avant, elle avait emballé les cadeaux pour la famille. Tandis qu'elle en avait encore l'énergie, fin novembre, elle m'avait entraîné au centre commercial pour effectuer ses choix de présents pour chacun. La voir parmi les boîtes, les papiers de Noël, les rubans multicolores et les cartes de souhaits m'attristait dans ce contexte si peu à la fête. Pas Christiane :

— Que je sois malade n'empêche pas Noël d'avoir lieu.

Ce qu'elle disait ainsi, c'était que le fait qu'elle soit souffrante et profondément inquiète ne l'empêchait pas de demeurer consciente des autres et de penser à eux.

Depuis quelques semaines, son état général s'était beaucoup détérioré. Elle avait maigri et continuait de maigrir à vue d'œil. Des amis qui étaient venus la voir m'avaient dit, à voix basse au moment de partir, combien ils l'avaient trouvée changée.

La chimio avait entre autres conséquences qu'elle fragilisait son système immunitaire, de sorte qu'il lui fallait éviter d'être en présence de toute personne possiblement porteuse d'infection, même mineure, tel un rhume passager. C'est ainsi que nous avions dû nous séparer du chat et, les symptômes d'incubation de certains microbes étant difficilement détectables chez les enfants, qu'elle ne pouvait se laisser approcher par nos petits-fils et notre petite-fille. Ce qui allait l'isoler dans cette période des fêtes pourtant propice aux embrassades.

Nos fils souhaitaient quand même souligner Noël de manière particulière et planifièrent une réunion familiale pour le 26 décembre.

Christiane et moi avons vécu seuls la veille de la Nativité, réveillonnant tôt et de peu. Le lendemain fut aussi une journée très lente. Tournés vers nos souvenirs des Noëls passés sous d'autres augures, nous avons baigné dans le vague d'une douce mélancolie, tristes mais reconnaissants d'avoir vécu de si beaux moments. Surtout, nous avons évité de penser au pire et à tout ce qui brouillait nos humeurs depuis l'annonce du cancer. Nous y sommes si bien parvenus que nous avons été heureux, encore heureux d'être ensemble après toutes ces années de vie commune.

Comme entendu, les enfants sont venus le lendemain. Portant des masques chirurgicaux verts pour garantir Christiane contre toute infection, ils mariaient ainsi l'Halloween et Noël. Notre cadet s'affaira à la cuisine, aidé de son épouse, qui, ne pouvant envisager Noël sans la dinde traditionnelle, en cuisina une pour la première fois de sa vie, pendant que l'aîné, lui aussi appuyé par sa femme, disposa les cadeaux sous le sapin et entretint les enfants.

Leurs efforts conjugués réussirent à créer la magie de l'événement, assez pour que des rires fusent dans notre maison, sans joie depuis maintenant près de trois mois. Même si Christiane dut s'étendre quand la fatigue lui refusa davantage de prétendre à des énergies qu'elle n'avait plus, l'atmosphère pétilla comme le champagne que nous n'avions pas (car Christiane n'aurait pu en boire et nous n'allions pas en déguster sous son nez) et ce Noël allait demeurer notre plus mémorable.

Lorsque ensuite Christiane et moi avons gagné notre chambre, je me suis amusé à la tenir par la taille et elle s'est laissée aller contre moi. J'aurais eu envie de l'étreindre, mais elle me paraissait maintenant si fragile que je me suis contenté de tendresse. Je l'ai aidée à se mettre au lit. Ce n'était pas nécessaire, mais j'en éprouvais le besoin. Je remontai les draps sous son menton en me disant que je tirais ainsi le rideau sur notre dernier Noël.

Quand Christiane ferma les yeux, au lieu de lire comme d'habitude, je fis de même pour demeurer en communion avec elle.

Le lendemain, c'était le début d'une très courte période où, les effets désagréables de la dernière chimio s'étant estompés, Christiane bénéficiait de quelques jours de grâce. Elle entreprit de téléphoner à ses pairs d'enseignement, des amis, non pour donner de ses nouvelles, mais pour s'enquérir des leurs. Car elle ne s'était jamais contentée de son existence : elle la nourrissait de celles des autres, ne cessait, dans la même démarche, de s'ingénier à percer les gens à jour. Non pas pour juger, mais pour être plus exactement à leur écoute et leur apporter ce qu'elle pouvait de mieux.

Pendant la semaine précédant l'hystérectomie, plusieurs fois elle me demanda qu'on aille se balader en voiture. Elle s'installait confortablement sur la banquette avant, en abaissait un peu le dossier et, la tête légèrement tournée vers l'extérieur, elle regardait défiler les villages, les terres agricoles qui s'étiraient derrière de coquettes maisons (dont elle en désignait plusieurs pour souligner que d'anciens de ses élèves y résidaient) et les communs des fermes. Elle m'indiquait certaines routes dans lesquelles elle désirait qu'on s'engage. De ravissement en ravissement, je la voyais se détendre, retrouvant chez elle ces enthousiasmes que je lui ai toujours connus au spectacle très simple des lieux qu'elle aimait, de ceux qu'elle découvrait et dont elle me disait qu'il faudrait y revenir. Et puis elle avait ce geste, un geste d'enfant : sporadiquement, sans mot dire, elle me montrait du doigt soit une maison, soit des animaux, soit une rivière que nous longions ou autres détails du paysage. Son intérêt n'avait rien de feint : ces moments faisaient son bonheur.

Nos promenades allaient se poursuivre pendant encore quelques mois, mais devenir de plus en plus courtes. Lors des dernières, quoiqu'elle les ait tout autant souhaitées, il lui arrivera de s'endormir, ou plus est exactement de tomber endormie. Je rentrais alors à la maison où elle se réveillait, déçue.

Après ces brèves sorties, nous réintégrions cet état d'attente lourde devant la perspective de nos lendemains inquiétants. Nos heures étaient vides de mots, car rapidement tout avait été dit. Une seule pensée s'imposait d'elle-même en dépit de nos efforts pour la repousser : notre vie était remise à plus tard et, au fond, nous comprenions que c'était... à jamais.

Le jour de l'opération, la voix inquiète, elle me dit combien elle ne se sentait pas bien. En fait, elle craignait que son état ne force un nouveau report, ce qui la briserait. Elle voulait encore croire qu'on allait la délivrer et qu'ensuite elle aurait vite fait de récupérer.

Nouveau départ pour la ville, dans un mélange de nuit et d'aube incertaine, une fois encore un trajet parcouru au rythme exigeant d'une circulation pressée et une arrivée à l'hôpital comme on revient sur les lieux d'une catastrophe.

Prises de sang et nouvelle scanographie.

Il y avait maintenant trois mois depuis le premier diagnostic et cette journée-là, on n'en donna aucun. Je décelais cependant chez l'équipe médicale des signes qui me parlaient suffisamment pour que je comprenne que les choses n'allaient pas s'améliorant.

Sans qu'on nous en informe, nous avons bientôt compris qu'on conduisait Christiane à l'étage des chirurgies. Dans le couloir, on lui injecta un produit euphorisant, et le docteur Guilbert vint lui confirmer qu'on allait l'opérer.

Je crois que Christiane me sourit.

Elle disparut bientôt entre deux battants derrière lesquels régnait une lumière crue et où se mouvaient des silhouettes vertes.

Je devais attendre dans une pièce prévue à cet effet, située à l'étage supérieur. Il y faisait une chaleur étouffante. Quelques personnes y étaient, déjà, visiblement appréhensives et empreintes d'inquiétude. La chaleur et le poids de cette atmosphère me déroutèrent et je choisis de me réfugier ailleurs.

La chambre qui allait accueillir Christiane après sa chirurgie me sembla l'endroit tout désigné. Je m'y installai avec un livre (je lisais alors *Voyages* de Pierre Loti dont la qualité de la langue berçait mes langueurs) et prévins une infirmière de mon désir de rencontrer la chirurgienne lorsqu'elle sortirait de la salle d'opération.

L'intervention, m'avait-on dit, durerait trois heures. Ce ne fut que cinq heures plus tard qu'on vint me chercher.

Les traits fatigués, une rosée de sueur allumant son visage, le docteur O. retira ses gants de chirurgien qui claquèrent comme des fanions sous un vent d'orage et me dit, la voix dépitée :

— Il y en a partout…

Ses doigts parcouraient son ventre.

— Le cancer a métastasé… Il y en a partout.

Du coup, il m'a semblé que mes genoux ployaient. J'eus l'impression de me liquéfier de l'intérieur et je dus me retenir fermement à la rampe de l'escalier au pied duquel la chirurgienne était venue me rencontrer.

Je crois que cette dernière a été confondue par ma réaction qu'elle attendait sans doute moindre. Elle me parut un moment désarçonnée, ne sachant quoi ajouter. C'est moi qui la relançai en lui demandant :

— Que va-t-il se passer maintenant ? Qu'est-ce qu'on doit faire ?

Avec un ton proche de l'injonction, elle dit :

— Profitez de la vie ! Que Christiane prenne plaisir à la présence de ses fils, de ses petits-enfants. Pourvu que ce soit possible, qu'elle profite de toute occasion pour se donner du bon temps…

Je ne trouvai rien à répliquer. J'acquiesçai, je crois, et j'eus spontanément ce geste que je ne saurais expliquer aujourd'hui, un geste sans doute issu de l'émotion débordante qui me saoulait : j'ai posé un baiser sur son front.

Chapitre sept

J'étais impatient de me rendre au chevet de Christiane, mais on me dit que je devrais attendre encore une demi-heure, au moins.

Chargé du poids des événements m'ayant amené jusqu'à cette nouvelle attente, incapable d'annoncer à mes fils qu'en somme la condition de Christiane demeurait la même après l'épreuve de la chirurgie, je vivais un moment nimbé d'irréel.

Je demeurais rivé à ma chaise, indécis, sans savoir si je devais rester là, arpenter le corridor ou aller me planter devant la porte de la salle de réveil. Mes idées se perdaient dans les labyrinthes de mon désarroi.

Tout compte fait, je quittai la chambre, entrepris de descendre à l'étage de la salle de réveil, mais m'arrêtai en route et m'assis dans les marches. Les coudes sur les genoux et la tête dans les mains, je restais ainsi concentré sur un seul objectif : ne pas paniquer. Éviter que mon esprit s'emballe dans un dépit tel que je ne puisse affronter l'instant où je retrouverais ma Christiane.

Aussi incroyable que cela puisse sembler, je m'assoupis. Ou peut-être pas : je perdis conscience du lieu où j'étais et du pourquoi j'y étais. Et ce, pendant presque un quart d'heure. Ce furent les bruits de pas d'un infirmier qui me tirèrent de cette prostration et je me levai brusquement, tel quelqu'un réveillé en sursaut.

Je regardai ma montre : maintenant, je pouvais aller voir Christiane.

J'entrai dans un silence que seuls ponctuaient les bips qu'illustraient les points rouges sur des écrans cathodiques. Sans que j'aie à me présenter, une dame à l'expression sérieuse, mais quand même avenante, me conduisit au lit de ma bien-aimée.

Ma première impression fut de la trouver davantage amaigrie que je ne l'avais noté jusqu'alors en la côtoyant chaque heure de chaque jour. Jamais n'avait-elle souffert d'embonpoint, même si parfois il lui était arrivé de se plaindre d'avoir quelques kilos en trop. Elle avait toujours eu un corps épanoui, un corps de jeune fille avec une silhouette de femme proche de ses allures d'adolescente. Si elle cuisinait bien et avec générosité pour moi, les enfants et les invités qu'on accueillait à notre table, elle se servait toujours de manière frugale et se gardait de manger des friandises ou autres mets de gourmandise sans réelle valeur nutritive.

La femme dans ce lit blanc, d'où elle me regardait, les yeux lourds de fatigue, n'était plus la même : c'était une personne stigmatisée par les affres de la maladie. Son teint était mauvais et même si elle me souriait, une lassitude sans nom redessinait ses traits.

Je m'approchai de sa tête encore belle et, m'apercevant, elle prit une grande respiration pour donner du souffle à sa voix :

— Enfin !

Enfin, finie cette histoire de cancer, ces traitements cruels, cette inquiétude latente, cette angoisse sourde : enfin guérie !

Eh ! non, Christiane, il n'en était rien… La chirurgie n'avait pas vaincu le cancer. Tu demeurais sa proie.

Encore moins qu'aux enfants, je trouvai les ressources de courage pour le lui dire. De toute manière, la chirurgienne m'avait prévenu qu'il lui appartenait d'annoncer cet échec. C'était sans compter sur la perspicacité de Christiane dans la lecture de l'humeur sur mon visage. Quoique persuadé d'avoir bien joué mon rôle de personnage réjoui comme elle que le drame soit caduc, je vis bien vite qu'elle avait percé mon jeu.

Étonnamment, d'abord une grande douceur apaisa son expression épuisée, puis une ombre assombrit l'éclat de son regard et elle me demanda d'un ton retenu, pour ne pas me heurter :

— Tu sais quelque chose ?

— Non… Je suis fatigué, très fatigué, c'est tout.

Je lui flattais un bras du bout de mes doigts, geste qui était souvent le sien. Elle n'était pas dupe. Elle tourna la tête vers le mur, ses épaules tressautèrent légèrement : elle pleurait. Puis, à un moment, tout son corps vibra et je pris peur. Je me dirigeai au pied du lit et fis signe à une infirmière qui arpentait la salle, aux aguets de l'état des malades. Lorsqu'elle vit l'agitation de Christiane, elle me signifia que ma visite était terminée.

— Vous pourrez la voir lorsqu'elle aura regagné sa chambre au huitième.

Je m'éloignai à reculons. Christiane ne me vit pas partir.

Hébété, le cœur hésitant entre ce que je devais faire ou ne pas faire, je décidai de télé-

phoner aux enfants. J'avais besoin de m'épan-
cher. Et puis, c'était là agir comme l'aurait
voulu Christiane.

À l'un et l'autre, que je devinais crispés au
bout du fil, j'annonçai que l'intervention s'était
déroulée sans accroc, quoiqu'ayant duré cinq
heures au lieu des trois prévues, que leur mère
était maintenant réveillée, que je l'avais vue et
qu'elle regagnerait bientôt sa chambre.

— Et qu'a dit la chirurgienne? rétorqua
Olivier.

LA question...

Je bredouillai que la doctoresse avait prévu
de nous rencontrer, tous trois, pour faire le point
après qu'elle aurait réexaminé Christiane et
dressé un bilan postopératoire.

— Mais comment tu l'as trouvée? demanda
à son tour Pierre-Alexandre.

— Difficile à dire. Elle était encore sous
l'effet des sédatifs. Mais elle ne me semble pas
souffrir et même qu'elle m'a souri.

Après un silence commun, j'ai ajouté, pour
dissiper le malaise dans lequel je m'enfonçais :

— Vous pourrez lui rendre visite dès ce soir...

Même si j'avais triché, j'étais assez satisfait
de moi. J'avais caché le principal sans pour
autant mentir. Lorsque la vérité serait sue, on ne
pourrait me faire de reproches.

C'est alors que je pris conscience que j'étais fébrile comme quelqu'un vidé de toutes ses énergies, qu'il était près de huit heures du soir et que, levé depuis cinq heures du matin, je n'avais pas pris une seule bouchée de la journée.

Chapitre huit

Christiane renoua avec ses hantises. Elle parlait peu, mais je sentais qu'elle aurait souhaité en dire davantage sans y arriver. Peut-être craignait-elle d'appuyer par trop sur le poids de sa peine en l'exprimant, et seuls quelques gestes quasi involontaires esquissaient parfois les signes de sa peur devant la suite des choses. Il arrivait aussi qu'au contraire les incontournables vérités apaisent sa raison comme si, n'ayant plus de choix, il ne lui restait qu'à se résigner. Dans de tels instants, elle semblait absente du spectacle de l'existence, comme si elle avait déjà entamé ce mouvement de détachement qu'elle devrait effectuer de plus en plus dans les mois à venir.

À son chevet, je lui parlais avec des mots tendres, d'une voix apaisante et, dois-je le dire, souvent avec cette fausse sérénité qui cache une envie de hurler. Mon esprit débordait de sujets que j'aurais aimé aborder avec elle ; j'éprouvais même le besoin de le faire, mais chaque fois, mes réflexions m'amenaient à conclure qu'en vérité cela importait peu, que seules comptaient ma présence et ma très sincère sollicitude.

Aussi, pendant de très longues minutes, il arrivait que le silence coule, liquide, sur notre détresse.

Christiane n'eut pas le temps de véritablement récupérer de son hystérectomie que déjà ont en revint aux traitements de chimio. Je trouvai cette situation cruellement exigeante.

Voilà une femme, une mère à qui on venait d'enlever tous les organes reproducteurs, qui brutalement venait d'être amputée d'une part significative de ce qu'elle était, et que l'on n'accompagnait ni ne soutenait dans les premiers pas d'une vieillesse prématurée. Car c'était bien ce dont il s'agissait, la jeunesse de son corps étant aussi le souvenir qu'avait celui-ci de la naissance de ses deux fils, une mémoire charnelle, celle de son ventre que je qualifiais de sacré, qui avait donné le plus précieux des dons, la vie, et n'était plus que le lieu stérile de fonctions digestives. Cela me sidérait. J'aurais voulu en discuter avec elle ou avec quelqu'un d'autre qui aurait su entendre, mais le protocole médical reprenait intensément le pas et n'autorisait aucun intermède.

Christiane accepta de se battre de nouveau dans l'espoir – qu'elle devinait peut-être déjà illusoire ? – de ne plus avoir à se battre.

Elle recevait beaucoup de visites mêmes si cela la fatiguait. Toujours en possession de cette faculté réceptive qui en faisait un être aussi attachant, qui attirait, retenait les gens près d'elle, elle devenait cependant d'un jour à l'autre moins communicative, ses expressions d'amabilité s'atténuant. Peu à peu, dans un lent processus que je devinais, la connaissant si bien, elle se retirait en elle-même.

Une fin d'après-midi, la doctoresse O. demanda à nous rencontrer, mes fils et moi. Le matin, elle s'était longuement entretenue avec Christiane qui n'avait manifesté aucune surprise ni autrement réagi devant le diagnostic négatif qu'elle lui avait exposé.

Quand Pierre-Alexandre et Olivier furent là, j'eus l'impression, lors de notre conciliabule dans cette pièce où déjà on avait accueilli Christiane pour ses préparatifs au premier traitement de chimio, qu'ils avaient deviné le résultat de la chirurgie. Plus même : qu'ils ne m'avaient pas communiqué leurs sentiments de peur que je m'inquiète à leur propos.

Quand les paroles de la gynéco-oncologue eurent produit leur effet-choc, nos fils, qui avaient jusqu'alors bercé quelque espérance, même très ténue, en demeurèrent complètement interdits. Elle insista ensuite : avaient-ils des questions ?

Ils n'en avaient pas ou peut-être n'osaient-ils pas en apprendre davantage et devoir faire face à l'exacte mesure d'une situation dont les premiers contours se révélaient déjà assez dramatiques.

Olivier, qui discutait régulièrement avec sa mère et ce médecin haut placé dans la hiérarchie du centre hospitalier qui était un de ses amis et avait permis à Christiane d'être rapidement diagnostiquée, avait appris de ce dernier qu'il ne servait à rien de chercher des réponses à tous les questionnements, car celles-ci ne seraient toujours que spéculatives. Une seule certitude : le cancer de Christiane était très vilain, il était très avancé. Le reste, c'était une lutte à livrer dont on ne pouvait raisonnablement prédire l'issue.

Puisque Christiane avait opté pour la médecine traditionnelle et s'en remettait à la compétence de la docteure O. et de son équipe, nous nous sommes repliés dans la position du spectateur et n'avons pas cherché à tout apprendre et à tout prévoir.

Tranquillement, Christiane et moi avons développé des comportements, en avons abandonné d'autres et avons appris à nous satisfaire d'une vie dépouillée de quelque artifice ou même d'imprévu. Je rentrais dormir à la maison et revenais à l'hôpital sitôt terminée l'heure de pointe matinale. Je retrouvais ma bien-aimée parfois endormie, d'autres fois éveillée, mais toujours immobile et songeuse, très peu bavarde désormais, et, à d'autres moments, assise devant la fenêtre où le soleil venait la caresser. On avait aménagé un deuxième lit dans sa chambre et en début des après-midi, je faisais la sieste en même temps qu'elle.

Elle ne mangeait pas, chipotait dans son assiette sans appétit.

Olivier était persuadé que c'était à cause de la nullité gustative des aliments qu'on lui servait, et comme il estimait que sa mère devait se nourrir pour accumuler les forces nécessaires au combat, il prit une initiative des plus originales.

Tôt un matin, avant que le personnel infirmier n'occupe tous ses postes, il s'engouffra dans l'ascenseur pour le septième étage les bras chargés d'un réfrigérateur pour petit appartement. Il parvint à la chambre de sa mère sans rencontrer âme qui vive et y brancha l'appareil. Une heure plus tard, il revenait avec des sacs remplis de produits d'épicerie.

En vain, hélas : Christiane ne mangea pas davantage et, comme on le dit communément, elle maigrit à vue d'œil. N'eût été le soluté qui la nourrissait goutte à goutte, sans doute aurait-elle dépéri jusqu'à totale inanition. Pierre-Alexandre venait la voir régulièrement, même si cela l'obligeait à conduire depuis Saint-Hippolyte d'où il prenait habituellement le train pour se rendre au travail. Il consacrait ainsi à sa mère quatre heures derrière le volant, parfois plus.

Une infirmière, plus enjouée et jeune que les autres, débarquait souvent dans la chambre de Christiane, armée d'un sourire à toute épreuve. Elle bougeait sans arrêt avec des gestes prompts qui traçaient des arabesques multiples qu'on aurait dit celles d'une danseuse exotique. Jamais elle ne se posait et ses propos pétillaient tout autant que ses mouvements. Son leitmotiv était qu'il fallait profiter de la vie tant qu'elle battait, croire en des lendemains qui chantent et ne jamais perdre espoir.

Christiane avait toujours su qu'il fallait vivre pleinement chaque jour ; mais comment envisager une telle perspective dans la condition où elle était ? Ce qu'il lui restait d'énergie suffisait à peine à repousser, chaque matin, les idées noires qui l'assaillaient.

Aussi, devant ces explosions de vie, elle souriait franchement et me disait que ces visites de la jeune infirmière lui faisaient grand bien. Elle demeurait une amoureuse de la vie, même si cette dernière la trahissait au point que cette affection doive se tourner vers la vie des autres.

Quand elle fut à peu près remise des conséquences les plus éprouvantes de sa chirurgie, on entreprit de fourbir des armes nouvelles contre son cancer. Sur une civière, intubée de plus d'une manière, on la descendit à l'étage des examens. Dans une pièce aux murs stérilisés et fortement éclairée – éclairage malvenu qui soulignait combien elle était fatiguée et malade – elle pressa une de mes mains en faisant non de la tête.

Non, elle ne voulait plus en être là, sans l'avoir prémédité un seul moment de toute sa vie, et se retrouver réduite à un corps malade qu'elle ne reconnaissait pas. Elle se sentait prisonnière, sans recours et sans défense.

Dans les seuls dix jours qui suivirent, elle subit pas moins de trois nouveaux traitements dont le dernier se révéla une terrible expérience.

Cette fois, au lieu de lui injecter un produit par intraveineuse comme on l'avait fait jusqu'alors, on lui incisa l'abdomen pour y passer un tube par lequel on inonderait l'intérieur.

Quand cette irrigation fut faite, on la disposa de différentes manières afin que le liquide rince tout l'espace métastasé.

On la bascula tête en bas, puis dans la position contraire, sur un côté, ensuite sur l'autre, l'obligeant à se retenir d'un bras replié entre les montants de son lit pour ne pas chuter au sol.

Quand elle en eut terminé avec ces atroces acrobaties, elle dut marcher, d'un pas militaire, montant puis descendant le long couloir qui passait devant sa chambre. Cela, dans la faiblesse postopératoire et dans les douleurs de ses chairs meurtries.

Encore aujourd'hui, ces terribles moments représentent pour moi, au-delà de tout ce qu'il restait à Christiane de misères et de peines à vivre, la quintessence de ce qu'elle a souffert durant son cheminement fatal.

Je la revois à mes côtés, cette femme dont j'avais si souvent tenu la main lors de nos promenades d'amoureux, je la revois qui écrasait le plancher de ses pas lourdement appuyés, volonté de fer et démarche résolue. Surtout, oui surtout, j'ai gardé l'image de ce sourire de défi qui disait combien elle guerroyait pour une victoire sans partage. Des lueurs lointaines, affaiblies par la fatigue, dansaient dans ses yeux, et de ma vie je n'avais perçu tant de détermination et de conviction chez ma bien-aimée.

Et pourtant...

Pourtant, je ne pouvais m'empêcher de penser que tout ce courage n'y changerait probablement rien et ne ferait qu'ajouter au dépit de Christiane lorsqu'elle le constaterait. Et déjà j'avais peur qu'elle m'échappe, que je tombe dans le vide, car sans elle je ne serais plus moi-même. Alors, qui serais-je ?

Lorsque nous avons regagné la chambre et son lit, j'ai deviné chez elle, par une furtive expression tourmentée, un sentiment d'impuissance. Depuis des mois, il s'était installé entre nous des silences et des points noirs de silence : celui-ci en était. Il y en aurait d'autres, à la merci desquels encore et encore nous allions devoir vivre.

Par la fenêtre on entendait le bruit étouffé de la circulation, comme celui d'un ressac. La ville battait tout autour, mais comme toute autre réalité nous ne pouvions que le soupçonner, enveloppés que nous étions dans un huis clos sans aspérités.

Les décors affligeants et banals de l'hôpital avaient immobilisé le temps qui nous captait et nous ne trouvions rien qui puisse distraire notre regard. Aussi Christiane ferma-t-elle les yeux et s'assoupit.

Son visage était encore joli comme il l'avait toujours été, ce qui m'avait fait croire qu'elle ne pourrait jamais souffrir.

Dans la semaine d'ensuite, elle commença à ressentir des engourdissements au bout des doigts, ses chevilles se mirent à enfler. Ces symptômes inquiétaient l'équipe médicale. On multipliait les questions pour essayer de comprendre ce qu'il en était. Christiane répondait du mieux qu'elle pouvait, mais sur un ton détaché, comme si cela ne la regardait plus, convaincue qu'elle était de ne plus pouvoir rien contre la dégradation de sa santé.

Des problèmes gastriques s'ajoutèrent à sa condition déjà difficile, ce qui ne fit que sceller son manque d'appétit, l'idée de manger s'accompagnant de l'anticipation d'en souffrir.

Quand le dernier des traitements ayant succédé à son hystérectomie fut donné, on la convainquit de rentrer à la maison. Cette éventualité m'inquiétait, car je n'étais pas tout à fait certain que je saurais en prendre soin efficacement. Je serais seul avec elle, étranglé par la peur de faillir, de ne savoir quoi faire, ni quand ni comment. Mais ma Christiane désirait rentrer, quitter l'atmosphère de l'hôpital, s'éloigner des odeurs, du rythme des heures marquant les changements d'équipes, et de la prise de médicaments. Elle voulait aussi prendre congé des visites de l'interne, des infirmières et même de la femme de ménage qui venait chaque jour ranger sa chambre, nettoyer la salle de bains, passer la

serpillière et lui laisser quelques mots d'encoura-
gement en partant.

Avant qu'elle ne descende avec moi vers la
sortie, j'ai demandé à l'infirmière responsable de
s'assurer que Christiane était véritablement en
état de venir chez nous. On m'assura que oui.
J'ai insisté, en vain.

Quand je suis revenu à la chambre la chercher, déjà et seule elle s'était habillée. Au pied du
lit, flageolant, une main appuyée sur le dossier
d'une chaise, elle m'attendait, la mine en même
temps réjouie et inquiète.

Comme lors de son réveil après l'opération,
alors qu'elle scrutait mon visage, elle vit qu'elle
s'illusionnait : elle ne me suivrait pas, car sur le
tissu de sa blouse une tache de sang très pronon-
cée allait grandissante.

J'hésitai pendant quelques secondes entre me
précipiter vers elle pour la soutenir et la ramener
à son lit, ou sortir et appeler pour qu'on vienne
à notre aide. D'une certaine manière, je fis les
deux. Je la portai au lit et communiquai avec
le poste de garde aux moyens de l'interphone
accroché au chevet.

C'était l'incision pratiquée pour introduire le
tube dans son ventre qui se rouvrait.

Et Christiane ne quitta l'hôpital qu'une
semaine plus tard.

Chapitre neuf

Les trois mois suivants, Christiane vécut sur la brèche. Les traitements se succédèrent, suivis de jours difficiles au cours desquels son moral suivait la pente descendante de son état de santé.

Souvent, elle s'emmêlait dans toutes les ordonnances qu'elle devait faire remplir par son pharmacien, puis elle se désespérait devant la multitude des flacons qui ne cessaient de s'entasser sur son plateau. Leur vue lui répugnait. Elle continuait de considérer les pilules comme des apports chimiques nuisibles à la santé. Elle avait toujours préféré les régimes, les exercices et le repos pour guérir ses maux. Aussi, la somme des médicaments qu'obligatoirement elle ingurgitait la diminuait à ses yeux, car ils lui volaient sa volonté au moment même où ses ressources physiques la trahissaient.

De plus en plus, son ventre devenait un laby-
rinthe douloureux qui enflait, si bien qu'aux
dix jours, ou à peu près, on l'irriguait. Cette
opération douloureuse durait plusieurs heures et
on l'anesthésiait partiellement, ce qui la laissait
ensuite pantelante et en état de vertige pendant
quelque temps.

Et puis il y avait ces déplacements depuis
Coteau-du-Lac jusqu'à Montréal, allers et retours
de cent vingt-trois kilomètres qui lui donnaient la
nausée et la mettaient sur les dents, ses nerfs étant
devenus sensibles, comme à vif. L'un de ces voyages
fut particulièrement épique. Alors que la circulation s'étranglait à l'entrée de la ville, mon portable
se mit à vibrer. Depuis que je n'avais d'autre occu-
pation que de veiller sur ma bien-aimée, l'appareil
demeurait la plupart du temps silencieux; aussi cet
appel prit-il les proportions d'une alerte. Obligé
de me concentrer sur la conduite, je demandai à
Christiane de prendre l'appel. Elle activa la commande permettant que la radio de l'auto diffuse la
voix de l'interlocuteur.

C'était l'hématologue de l'hôpital. On lui
avait remis la charte des derniers tests sanguins
de Christiane, ainsi que celles des derniers scans.
De leur analyse, il concluait qu'un caillot de sang
s'était formé près de l'aorte et que la patiente
devait se présenter sur-le-champ aux urgences.

Dans un climat intérieur de tempête, nous étions sur place quinze minutes plus tard.

Longtemps Christiane dut demeurer sous les lumières crues, couchée sur une étroite civière rangée le long du mur d'un corridor sans cesse arpenté par du personnel pressé et visiblement épuisé par la pression et le manque de sommeil.

Lorsque enfin on lui assigna un lit dans un espace fermé, elle était aussi blanche que le drap sur lequel reposait sa tête, sans oreiller. Mais bientôt se présenta une infirmière qui vit à son confort et la rassura en l'informant qu'elle demeurerait à ses côtés aussi longtemps qu'elle serait dans ce département. Ce qu'elle fit jusqu'à ce qu'on décide d'hospitaliser Christiane.

À partir de ce jour, chaque fois que j'ai dû amener Christiane d'urgence au centre hospitalier, elle a eu droit aussitôt à une chambre particulière. Il faut dire qu'en plus de son cancer, elle souffrait d'une infection qui, quoique bénigne, dictait qu'on l'isole. Avec les enfants on l'appelait « l'infection prétexte » qui permettait à notre chère malade de bénéficier de ce traitement de faveur : une chambre pour elle toute seule.

Quelques jours plus tard, lorsque nous sommes rentrés à la maison, j'ai vu pleurer Christiane pour la première fois depuis le verdict.

Des sanglots silencieux. Ses larmes coulaient, coulaient sans qu'elle tente de les endiguer.

Fin avril, elle n'était plus qu'un pâle reflet de ce qu'elle avait été. Sa silhouette disparaissait, ses vêtements flottaient. Sa fragilité sans nom était écrasée sous le coup de la maladie. Elle ne s'embarrassait plus de porter sa perruque, se contentant d'une sorte de bonnet de nuit pour cacher sa tête nue, ce qui lui faisait un profil à la Voltaire, souvent représenté ainsi coiffé.

Elle ne quittait plus le lit, sauf pour se rendre à la salle de bain ou pour tenter de marcher, une illusion vite éventée.

On l'aurait dite en punition, elle qui n'avait jamais péché, martyre, elle qui avait toujours refusé toute compromission. Souvent, les yeux fermés, elle glissait une main vers moi et pressait mes doigts.

Qu'est-ce que je n'aurais pas donné pour la détourner de cette voie qui la conduisait vers la mort ! Je voyais son visage vieilli, éteint, étranger à l'exception de ses beaux yeux qui résistaient, et j'étais totalement démuni devant cette victime innocente que j'aimais douloureusement.

Parfois elle n'acceptait pas que je l'aide pour venir à table. Mais elle n'y faisait que de la figuration, n'ayant ni faim ni soif et craignant que son estomac se rebiffe et la darde de douleurs. De plus, faible comme elle était, après quelques minutes seulement de station assise, la tête lui tournait et je devais la soutenir pour retourner à sa chambre.

Désormais, elle dormait seule. Pour avoir toute liberté de mouvement et pour pouvoir allumer la lampe à son gré sans se soucier de mon sommeil lorsqu'au cours de la nuit il lui arrivait de se réveiller et de paniquer dans le noir. Je demeurais près d'elle cependant, juste de l'autre côté du couloir, dans cette petite chambre qu'on avait aménagée pour Dahlia, notre petite-fille qui avait l'habitude de venir passer des week-ends avec nous, avec sa mamie surtout. Ces deux-là s'aimaient d'un amour parfait, leurs cœurs battaient à l'unisson quand, la petite assise sur les genoux de la grande contre laquelle basculait son corps d'enfant, elles partageaient des histoires qu'inventait Christiane ou qu'elle lisait dans les livres illustrés dont elle avait garni plusieurs rayons dans cette chambre réservée à la fillette.

Souvent elles marchaient ensemble en forêt ou dans le parc, et Christiane y allait de leçons de botanique qu'elle donnait comme on récite de la poésie. Au retour, elles se baignaient et s'écla-boussaient avec des cris d'enfants rieurs.

Christiane et Dahlia, c'était chatte et chaton.

Une des conséquences cruelles, parmi tant et tant d'autres, de la maladie était que peu à peu la fillette ne reconnaissait plus sa grand-mère. Elle ne savait plus lire ses expressions, craignait ses traits malades, se tenait à l'écart lorsqu'elle la voyait tituber. Et Christiane ne pouvait plus lui offrir qu'un sourire figé qui déconcertait la petite. N'osant s'approcher du lit, Dahlia perdait contact avec cet être étrange qu'était devenue sa mamie. Le charme était rompu et la nouvelle sorte de relation qui aurait pu s'établir entre elles, l'enfant n'y était pas préparée, ni n'en était capable. Cette perte d'affection si mortifiante claquemura encore davantage Christiane dans sa prison.

À cette peine profonde s'ajouta le drame de ne plus pouvoir lire, tant sa vue faiblissait.

Elle, qui croyait davantage aux vérités de la littérature qu'aux chimères de la vie réelle, était ce qu'il est convenu d'appeler une grande lectrice. Sa perspicacité s'exerçait à la lecture des œuvres majeures, ou même des mineures pour peu qu'elles lui apportent quelque chose. Lire allumait son esprit critique qui s'exerçait bien au-delà des mots. Dans les livres, elle apprenait et retenait mille leçons de la vie, ce qui la passionnait car elle pouvait ainsi la multiplier.

Surtout, elle gardait mémoire de l'essentiel de ses lectures. Non seulement retenait-elle le nom des auteurs ainsi que le titre de leurs œuvres, mais encore aussi l'époque de leur naissance et les points marquants de leur vie. Enfin, elle explorait : combien de fois l'ai-je vue prendre un livre dont ni elle ni moi n'avions entendu parler et y plonger comme on part à l'aventure, aventure qu'elle menait chaque fois jusqu'au bout même si en cours de route elle collectionnait les déceptions.

Elle avait l'habitude de répéter ce trait du comédien Michel Dumont qui se réjouissait de savoir que jamais il ne parviendrait à lire tous les livres : *la lecture est donc un plaisir infini.*

Ses yeux la trahissant, elle éprouvait plus que jamais le sentiment de l'imminence de sa fin et, un matin qu'elle parvint à manger un quart de bol de grains de blé, elle eut cette remarque appartenant à Georges Simenon :

— « On sent la mort proche et certaine lorsqu'on multiplie les gestes que l'on pose pour la dernière fois. »

C'est pendant cet épisode à la maison qu'un jour je rencontrai au marché d'alimentation une de ses anciennes élèves à qui j'appris l'état de Christiane. Ses yeux se figèrent et des larmes roulèrent sur ses joues. Je faillis la prendre dans mes bras pour la consoler, mais je m'arrêtai en pensant qu'ainsi en public cela pourrait la mettre mal à l'aise. Quand elle ouvrit la bouche pour parler en même temps que du revers d'une main elle séchait son visage, ce fut pour me dicter un message à transmettre à Christiane :

— Dites-lui que Geneviève est revenue, qu'elle est mariée, heureuse, et mère d'un garçon treize ans et de deux petites filles. Dites-le-lui, je suis persuadée que ça lui fera plaisir.

— Je lui dirai.

À la maison lorsque je parlai à Christiane de Geneviève, elle réagit à peine. Puis, quand je lui mentionnai que cette dernière était mère d'un enfant de treize ans, je la vis compter sur ses doigts.

Enfin, elle sourit et dit :

— Je vois, oui. C'est elle, et je suis très heureuse...

Dans mon ignorance, je haussai les épaules : je ne savais pas de qui il s'agissait, car à l'époque Christiane n'avait pas nommé l'adolescente rébarbative.

— Pauvre fille... Je t'avais raconté, c'est celle qui était enceinte et...

— Oui, oui... Ça y est, je me souviens maintenant.

Son visage revivait : une goutte de bonheur était tombée sur ses plaies.

Chapitre dix

C'est parce qu'elle savait que c'était son ultime semaine à la maison que cette dernière fut un épisode aussi surréel.

Il y eut le week-end, pendant lequel nos fils vinrent installer sur la terrasse un vaste *gazebo* luxueusement meublé, acheté avec le fruit d'une collecte des amis de Christiane qu'Olivier avait organisée parce qu'ils avaient exprimé le désir de lui faire un cadeau. Tout le jour, ce samedi-là, Pierre Alexandre et Olivier s'évertuèrent à monter la structure puis à tendre les toiles derrière lesquelles Christiane pourrait jouir des journées ensoleillées sans s'exposer aux rayons du soleil. Car sa peau était devenue particulièrement sensible et certains effets secondaires de ses médicaments la rendaient à risque de rougeurs cutanées malignes.

Quand les travaux de nos fils furent terminés, fiers de leur accomplissement, ils vinrent chercher leur mère et l'aidèrent à prendre place sous l'abri de toile. Elle s'assit toute droite, osant à peine bouger, certainement comblée par ce présent royal, considérant d'un œil admiratif les meubles de jardin dont une chaise longue qu'elle demanda d'essayer. Étendue, elle sourit le temps de quelques soupirs puis, visiblement à regret, demanda de retourner à l'intérieur.

Elle ne devait plus jamais sortir sur la terrasse.

Le lendemain, Olivier créa des îlots fleuris dans le parterre. Ce travail, sous un soleil ardent, premier sursaut d'un printemps hâtif, lui demanda toute la journée. Quand ce fut terminé, Christiane s'avança à la fenêtre de sa chambre et leva le pouce en direction de notre cadet en guise d'expression de sa reconnaissance. Jamais n'eut-elle l'occasion de goûter davantage ces nouveaux aménagements.

Les fleurs: Christiane était une passionnée des fleurs et des plantes. En été, elle en mettait partout, même dans les marches du balcon qu'on devait escalader en contournant les pots qui le jonchaient. Lorsque quelque problème la tracassait, que des soucis assombrissaient son humeur, elle sortait travailler la terre, recomposer les espaces fleuris. En hiver, les décors de la maison s'animaient de toutes les plantes vertes qui faisaient barrage à la saison froide.

Oui, les fleurs. Elle les préférait aux bijoux et son pouce vert n'était pas le moindre de ses talents.

Les journées se succédaient, quasi inutiles. Nous ne comprenions pas que Christiane puisse ainsi survivre sans manger ni boire. D'autant qu'à la maison, elle n'était jamais reliée à un soluté et donc rien ne compensait son jeûne et sa déshydratation. On s'inquiétait qu'elle n'avale plus que des médicaments, car sans aliments leurs effets secondaires en étaient amplifiés.

Elle ne parlait plus, elle ne souriait plus.

De l'hôpital, on lui téléphonait chaque jour pour l'inciter à y revenir. Sa chambre l'attendait. Il y eut même un appel de la docteure O. elle-même qui, après lui avoir posé quelques questions et considéré les réponses hésitantes de Christiane dont elle reconnaissait à peine la voix, l'informa qu'elle ne devait pas demeurer ainsi braquée dans sa décision de ne pas quitter la maison.

Personnellement, je me refusais de faire chorus avec toutes ces exhortations auxquelles s'ajoutaient celles de mes fils qui craignaient que leur mère s'éteigne alors qu'il demeurait possible qu'à l'hôpital on parvienne à rallumer les flammes de santé qui lui restaient.

Quoique je n'appuyais pas de manière manifeste ces tentatives, je n'en pensais pas moins. Mais j'avais compris que Christiane, intuitive comme elle l'avait toujours été, savait pertinemment que cette fois le prochain départ serait définitif, que jamais plus elle ne rentrerait chez elle, que ce serait un adieu à tout ce qu'elle aimait. Ses amis, sa maison, toutes ses possessions, de la moindre à la plus précieuse, ces choses que depuis plus de quarante ans on lui avait données ou qu'elle avait choisies, achetées, disposées, rangées, utilisées. Qu'il ne lui demeurerait rien, qu'elle ne serait plus qu'une mourante.

J'étais donc avec elle et n'entendais pas brusquer sa décision de tout abandonner pour la blancheur d'une chambre anonyme.

Un samedi matin, elle me pria de lui apporter un verre d'eau. Je crus en un indice de rémission et anticipai qu'elle me demanderait ensuite de lui préparer une bouchée.

Elle s'assit avec peine. Refusa que je dispose ses oreillers et prit de ses mains tremblantes le verre que je lui tendais. Le mouvement pour le porter à ses lèvres la renversa sur le dos. L'eau mouilla sa chemisette, le verre roula sur le plancher.

Ne s'embarrassant pas de ces détails, elle fit des gestes de rejet comme si elle repoussait une tâche qu'on aurait voulu lui imposer et, de cette voix frêle et nouvelle qui était devenue la sienne, elle implora :

— Pierre... Conduis-moi à l'hôpital.

Jamais je n'avais connu un sentiment aussi partagé, soulagé que j'étais de remettre Christiane entre des mains compétentes, en même temps que terrassé par la fin de notre vie commune. Car c'est de cela qu'il s'agissait : Christiane n'allait plus jamais faire partie de ma vie à la manière d'un trait de caractère. Notre histoire s'arrêtait là, les gestes tangibles de notre amour, nos projets, notre retraite après le dur labeur de nos années, le rêve de voir grandir nos petits-enfants...

Cette amputation d'une partie de mon existence me désarmait et je me disais que je devrais dorénavant me satisfaire de souvenirs. Déjà, je me cherchais comme une âme en peine.

Pendant qu'elle s'habillait et que je l'aidais, le choc dut lui être insupportable de voir une étrangère dans le miroir. La nuit précédente, je l'avais vue couchée en position fœtale alors qu'elle balançait entre l'idée de poursuivre la lutte et celle de se réfugier dans la mémoire douloureuse de ses belles années.

Voilà que notre amour si généreux, qui n'avait jamais exigé de sacrifices, nous demandait le pire de tous!

Lorsqu'elle quitta la chambre, contrairement à ce que j'aurais cru, elle ne marqua aucune pause pour regarder une dernière fois le décor de nos nuits de félicité. Je devinai cependant qu'elle n'avait cessé de le faire pendant toute la dernière semaine.

La première des infirmières à qui j'annonçai que Christiane s'en venait à l'hôpital me dit qu'elle nous envoyait une ambulance. L'apprenant, Christiane se rebiffa:

— Je suis capable de m'y rendre en voiture.

Je rappelai à l'hôpital. On m'expliqua que son état ne permettait pas que je m'aventure seul avec elle dans un déplacement qui allait prendre plus d'une heure. Tout au moins, me conseilla-t-on de me rendre en ville accompagné d'une troisième personne. À deux, advenant un accident ou même seulement une longue station dans le flot des voitures, nous pourrions plus aisément improviser un moyen de permettre à Christiane d'arriver à bon port sans subir trop d'inconvénients.

Je parvins à joindre Olivier qui, contrairement à son frère immobilisé, sans voiture, dans un bureau de Montréal, pouvait quitter le chantier de construction qu'il dirigeait à quinze minutes de la maison et venir avec nous.

Pendant que nous l'avons attendu, Christiane m'a demandé de l'installer au salon. Étendue sur le canapé, elle s'inquiéta de savoir comment je m'organiserais sans elle. Pour les repas, par exemple. Je lui répondis que c'étaient des détails auxquels, dans les circonstances, je ne souhaitais pas m'arrêter. Quand même, elle me fit un inventaire de ce que contenaient le réfrigérateur, le congélateur, le garde-manger, les armoires... Le tout sans état d'âme, et si lucide que je l'admirais bien davantage que je ne l'écoutais.

Je jouai quand même le rôle d'un auditeur attentif, au point où elle conclut :

— Je crois que je peux te faire confiance.

Je doute cependant qu'elle l'ait vraiment pensé, car elle connaissait toute la distance entre moi et les exigences du quotidien. Mais l'élégance de son caractère consistait aussi à ne pas m'imposer ses doutes à mon sujet.

Et puis, la véritable question aurait été : aurais-je le courage, à partir de maintenant, de vivre à peu près normalement la progression d'un drame au dénouement imminent ? Dormir, manger, écrire, vaquer à des occupations banales, alors que Christiane lutterait avec elle-même pour taire ses émotions et s'accorder à la tournure de son destin ? Sans repères dans ce dernier chapitre de sa vie, comment son cœur et sa raison allaient-ils conserver un semblant d'équilibre ?

Avant que n'arrive Olivier, elle ne se montra pas autrement diserte.

Quand il fut là, il lui lança d'un ton entraînant que démentaient ses traits tirés :

— Ça va, maman ?

Elle ne répondit pas. Lui se contenta de sourire. Un sourire plus tendre que joyeux, façon de dire qu'il n'était pas dupe, mais pouvait faire face.

Christiane demeura sans réaction de tout le trajet qui dura plus d'une heure. Aucun de nous trois ne nous avancions dans quelque sujet. De toute manière, depuis un bon moment déjà, Christiane et moi communiquions davantage par nos silences que par nos mots chargés de nos appréhensions. Et puis, on parle toujours plus ou moins d'avenir et nous n'en avions plus.

Olivier trouva quand même quelques remarques pour encourager sa maman, spéculant intérieurement sur ce qui demeurait de volonté à Christiane, car il ne pouvait concevoir qu'elle se soit abandonnée aux desseins du cancer.

Des averses lourdes étaient tombées, mais quand nous arrivâmes à destination, la ville rutilait sous un beau soleil de printemps. En dépit de tout le bleu du ciel, Christiane était triste et meurtrie lorsqu'elle pénétra dans le long couloir qui menait aux ascenseurs de l'hôpital Victoria, où elle s'enfonça comme dans un tunnel sans fin.

Chapitre onze

Dans les jours qui suivirent, l'équipe médicale responsable de Christiane s'activa à lui redonner des forces. Elle reçut des infusions de magnésium, des transfusions de sang, des solutés de différentes densités et compositions afin de la nourrir.

Quand on jugea qu'elle était en état, on entreprit une batterie de tests qui dura presque une journée et demie. On la prévint qu'on n'obtiendrait les résultats complets que dix jours plus tard. Et on laissa Christiane se reposer, l'entourant cette fois de précautions pour assurer son bien-être plutôt que de lui prodiguer des soins curatifs.

Pendant cette période de répit, Christiane reçut beaucoup de visiteurs ; utilisant ses dernières forces pour les autres, son accueil était toujours au-delà de ce que les marques de sa maladie semblaient lui permettre. J'observais ces rencontres, inquiet jusqu'au vertige du peu de temps qu'il lui restait.

Lorsque nous nous retrouvions seuls, il arrivait que ses yeux s'attardent sur moi comme si j'avais provoqué chez elle un intérêt, une curiosité ou encore comme si elle voyait en moi une ressemblance avec ce que nous avions été.

Nous ne parlions de rien, mais un peu quand même. Dans ces circonstances ce « rien » prenait de l'importance, car il nous permettait des moments d'intimité, les seuls dont nous puissions encore profiter.

Je me mis à lui relater certains des voyages dont nous étions revenus enchantés. Elle écoutait avec attention la lecture de ces textes que je tirais de mon journal personnel et, l'esprit toujours alerte, se permettait des remarques sur le style, recommandant ici et là quelques corrections ou au contraire, arrêtant ma lecture pour souligner combien les longues années d'apprentissage avaient porté fruits. Tout ce temps, Christiane m'avait guidé dans les chemins difficiles de l'écriture, parvenant à m'enseigner le français sans jamais invoquer quelque règle de grammaire que ce soit. Car, comme plusieurs auteurs classiques qu'elle avait étudiés, elle était convaincue que grammaire et littérature sont des champs différents. Elle avait compris que l'écrivain est né avec la petite musique des mots dans la tête et que cette musique, lorsque exactement accordée, respecte les règles de syntaxe sans qu'il soit nécessaire d'en connaître la terminologie. Lorsque Christiane relevait une phrase malhabile, elle la répétait à voix haute, et quand elle butait sur la fausse note, je l'interrompais, reprenais le texte et l'harmonisais comme le font les compositeurs sur leurs feuilles de musique. C'est de là que me vient l'habitude de toujours lire mes textes à haute voix, pas d'un sentiment d'émulation envers Flaubert...

De mon journal, je passai bientôt à ce livre de Pierre Loti, *Voyages*, dans lequel l'écrivain de Rochefort a révélé les plaisirs de l'exotisme à travers le récit de ses séjours en Chine, entre autres, ce qui plut tout particulièrement à Christiane.

Après ces lectures, elle me ramena sur le terrain de l'écriture. Elle me fit promettre que je respecterais enfin ce rendez-vous avec moi-même qu'elle m'avait si souvent rappelé, celui de n'être plus qu'écrivain, et elle me convainquit de démissionner du Barreau pour y arriver. Ainsi, elle rendait possible qu'il demeure de notre amour cette autre promesse d'avenir, en plus de celles que sont nos fils et nos petits-enfants.

C'est dans ces mêmes jours qu'elle me fit également cette requête :

— Promets-moi d'être heureux.

Elle qui fut mon expérience la plus forte
me demandait de donner dorénavant à ma
vie une autre dimension, de me dissocier de
l'image de moi qu'on me renvoie à cause de mes
professions successives de notaire et d'avocat.
Elle, qui n'avait jamais vécu autrement que ce
qu'elle était, me rappelait le mot de Nietzsche :
« Deviens ce que tu es. »

À ce dernier propos, je me suis demandé alors,
et depuis, si Christiane s'était interrogée sur le
sens de sa vie. Quand je relis les textes qu'elle m'a
laissés, je crois qu'elle avait trouvé la réponse :
l'amour. Elle croyait que l'amour humain que
chacun cherche, recherche, poursuit, ou dont il
déplore la privation, est la présence de Dieu parmi
nous, car elle gardait de Celui-ci sa première
notion, celle de l'enfance. Elle l'avait mûrie et
adaptée : il était devenu ce bonheur sans réserve
que lui donnait l'affection des siens, la mienne et
celle de nos enfants, de ses petits-enfants, de ses
élèves au cours des ans et de ses amis.

Christiane était une amoureuse de l'amour,
du sentiment de l'amour.

Lorsqu'elle avait rencontré Georges Simenon,
elle lui avait dit combien elle croyait à l'adage

que le grand romancier avait fait sien et réaffirmé en plusieurs occasions : «Si chaque personne se donnait comme mission d'en aimer une autre, il n'y aurait plus de guerre et tous les hommes seraient heureux.»

Entre Christiane et moi, l'équation était simple : amour et bonheur, c'était du pareil au même.

Un après-midi, alors qu'elle dormait, je lisais à son chevet *Un thé au Sahara* pour la troisième fois en une vaine tentative de comprendre comment Paul Bowles réussit à créer une telle tension avec tant d'économie de superlatifs et autres artifices. L'infirmière en chef vint alors me prévenir que la docteure O. disposait maintenant des résultats complets des tests effectués presque deux semaines auparavant. En conséquence, elle désirait savoir si, tôt le lendemain, je pourrais assister à la rencontre que la gynéco-oncologue souhaitait avoir avec Christiane et moi.

J'acquiesçai et décidai de dormir en ville afin d'éviter les ralentissements de la circulation matinale qui m'auraient mis en retard. Je choisis un hôtel situé avenue du Parc, à distance de marche du centre hospitalier.

J'en prévins Christiane. Informée de l'événement du lendemain, elle aussi estimait que je pourrais difficilement y être à moins de quitter la maison à l'aube, et encore. Et même si nous n'étions qu'en début de soirée, elle me recommanda de gagner l'hôtel dans l'immédiat afin de me reposer.

Mais il était dit que cette nuit-là je n'allais pas beaucoup dormir. Car avant mon départ, Christiane sema dans mon esprit les éléments d'un dilemme cornélien: devait-elle refuser tout nouveau traitement dont on ne pourrait raisonnablement prévoir l'issue ou poursuivre l'exigeante bataille et aller peut-être d'illusion en illusion? Elle soupçonnait fortement que ce point délicat serait au centre de la discussion avec la spécialiste.

En même temps, je comprenais que, par des efforts de sa raison, elle était parvenue à taire ses terreurs, le temps d'envisager avec un calme froid toute la vérité sur son état et de regarder en face le choix qui s'imposait.

Lorsque je l'ai quittée, la pluie tombait. Les couleurs de la ville, traînées lumineuses sur les trottoirs et les rues, néons gesticulants et accrocheurs, phares brouillés des voitures, tranchaient tant sur le milieu du centre hospitalier que j'y avais l'impression d'avoir franchi une frontière. La frontière qui sépare la maladie de la vie.

Je ne me dirigeai pas vers mon hôtel, mais décidai de me perdre volontairement dans ce quartier que plusieurs décennies auparavant j'avais beaucoup arpenté.

Je n'avais pas le sou alors et je végétais, insouciant des lendemains. Je vivais dans une chambre sans fenêtre où j'écrivais la nuit, et le jour, je négligeais les entrevues pour trouver du travail. Mes souvenirs de cette époque ressemblent aux pages d'un roman initiatique, et j'en ai oublié les inquiétudes et la précarité.

Cela tient sans doute au fait que ma mémoire ne s'est pas attardée à cette période futile de mon parcours : ce qui allait déterminer mon destin a débuté seulement lorsque j'ai rencontré Christiane. J'ai alors abandonné mes humeurs rêveuses et pris conscience des couloirs étroits du réel dans lesquels les obligations récurrentes de la quotidienneté nous engagent.

Contrairement à ce qu'il pourrait y paraître, ce ne fut pas un mal : un tel réveil était nécessaire à ma réussite, à mon bonheur même, car vivre d'illusions aurait été me condamner à de cuisantes déceptions.

C'est ainsi que Christiane m'a permis de réchapper ma vie que je perdais en futilité et insouciance.

Plusieurs fois pendant cette nuit-là, je me suis éveillé taraudé par le choix impossible devant lequel se trouvait Christiane et si j'ai rêvé, c'est de ne pas dormir, car au matin je n'étais pas plus reposé que la veille.

Je me suis rendu aussitôt à son chevet, et après avoir baisé ses joues, je lui demandai à quelle décision elle en était arrivée.

Ses yeux brillaient au milieu de son visage quasi éteint et j'aurais tellement souhaité parler d'autre chose, de n'importe quoi pour nous éloigner du moment qui nous pesait. Mais pour cela il aurait fallu que nous soyons dans une autre vie, celle d'avant, car cette nouvelle n'était plus qu'un sursaut avant la fin.

— J'y ai réfléchi, oui. Mais attendons de voir le docteur.

Ils sont venus à trois : la doctoresse, son assistant et l'infirmière en chef. Leur expression déjà....

Le gynéco-oncologue, l'ai-je dit, est une petite femme, d'un mètre soixante à peu près, au corps athlétique. Elle a le teint hâlé des gens nés en pays de soleil. Si son débit est très ferme, son visage teinté d'une expression de tendresse non feinte nous fait oublier la forte autorité qui émane d'elle.

Les résultats étaient décevants, et même plus. La chimiothérapie et l'hystérectomie n'avaient pas eu les effets qu'elle escomptait. Le cancer avait à peine régressé et d'autres métastases apparaissaient. Le bilan global de santé était négatif. Les médicaments n'étaient pas parvenus à réduire les deux caillots et le volume sanguin était à la baisse : il faudrait augmenter le nombre de transfusions.

Tout espoir était-il perdu ?

La doctoresse éluda la question et annonça qu'elle avait planifié une nouvelle sorte de traitement. L'infirmière en chef opina et l'assistant précisa qu'il y procéderait lui-même, mais leurs expressions révélaient combien ils avaient conscience de l'effet aigu que produisaient ces informations sur Christiane. Cette dernière me confiera d'ailleurs ensuite que ce concert de bonne volonté n'allait rien changer, elle en avait la conviction.

Un silence s'installa, puis elle demanda :

— Et mes chevilles qui enflent, mes doigts qui s'engourdissent, ma vue qui baisse au point que je ne peux plus lire, la douleur que j'ai là…

Elle montra son thorax. La docteure fit signe que oui, signifiant que tous ces symptômes étaient des conséquences de ce qu'avaient révélé les analyses.

Christiane ne m'avait jamais encore parue si épuisée, n'avait jamais eu l'air aussi malade. La lumière du soleil qui tombait sur elle depuis la fenêtre soulignait la décomposition de ses traits et, pour la première fois, je vis combien elle frôlait la panique devant l'inévitable.

Elle eut vite fait de se reprendre cependant. Nous étions tous accrochés à ses lèvres, n'osant aborder LA question, celle qui constituait la raison de cette réunion. Et Christiane en trouva le courage :

— Combien de temps me reste-t-il ?

Elle n'avait pas marqué de différence entre les délais lui étant impartis avec ou sans traitements. La réponse fit part des deux situations qui menaient à la même tragique conclusion :

— Avec les traitements, trois ou quatre mois. Sans, peut-être... deux.

Le regard de Christiane vint me chercher. Plutôt que de me demander ce que j'en pensais, elle me demanda si j'avais changé d'idée. Je dis non, lui signifiant ainsi être d'accord avec sa décision, même si, contrairement à ce qu'elle semblait croire, je ne la connaissais pas.

— Alors, on arrête là.

Trois mots et toute une vie rejetée derrière soi !

Nous ne savions rien, ou pas grand-chose, de la mort, sinon qu'elle survient quand on s'y attend le moins et qu'elle laisse un sentiment d'absurdité derrière elle. Mais dans notre situation, ce sentiment s'installerait en nous sans attendre la fin, il nous envahirait comme une nouvelle métastase.

Chapitre douze

Je roulais, seul, à contre-courant du flot de voitures qui rentraient en ville. Il était dix heures trente et la journée était bien entamée : partout les activités urbaines battaient leur plein.

Devant moi, tournaient les gyrophares de l'ambulance qui conduisait Christiane à la maison de soins palliatifs où la veille je l'avais inscrite. Il n'y aurait plus de déplacements quotidiens au centre-ville de Montréal : Christiane avait cessé d'être une patiente de la gynéco-oncologue O.

Avant de partir, pendant qu'on attendait l'arrivée des ambulanciers, je m'étais étendu dans le lit de ma bien-aimée, la pressant dans mes bras. Stoïque, elle restait les yeux ouverts et, comme elle l'avait fait si souvent, un de ses doigts caressait le dos de ma main posée sur son ventre. Elle en était encore à s'accorder avec la victoire de sa raison sur ses émotions, et ses liens avec cette réalité demeuraient si forts qu'elle paraissait hypnotisée par les dictats de sa propre volonté.

Moi, j'avais l'esprit embué et ne savais que me lover contre elle, ce qui traduisait très faiblement la confusion des sentiments dans lesquels je flottais.

Quand les ambulanciers ont roulé la civière au pied du lit, me voyant allongé contre Christiane ils n'ont su que faire. L'un d'eux s'est rendu au poste de garde prévenir une infirmière que *quelqu'un* était couché avec la malade.

Leur attitude fit sourire.

L'interne lui-même vint dans la chambre pour confirmer que cette dame, dans les bras d'un homme tout habillé, était bel et bien la personne qui quitterait l'hôpital avec eux.

Le temps que je m'ébroue et descende du lit, tandis qu'on préparait Christiane, la gynéco-oncologue manifesta le désir de me parler. Je la suivis dans le couloir.

Elle n'avait aucune nouvelle information à me communiquer sur la santé de ma bien-aimée, non plus que de conseils à me donner concernant mon comportement auprès d'elle durant cette dernière étape de sa vie. Elle me fit plutôt part de l'admiration qu'elle avait pour cette femme si délicate au courage démesuré. Soulignant tout particulièrement que l'ensemble du personnel médical partageait son sentiment, elle me rapporta comment, à chacune de ses rencontres avec Christiane, quels qu'en soient les propos et leur poids, cette dernière parvenait à tourner en dérision les plus sérieuses démonstrations, les plus doctes explications pour détendre l'atmosphère.

D'abord Christiane l'écoutait religieusement, questionnait de manière très pointue, puis tranquillement glissait vers un ton plus léger jusqu'à se moquer d'elle-même et dénoncer l'absurdité du pire. Elle me rappela cette première fois où elle avait annoncé la terrible nouvelle à Christiane : pour illustrer ses propos sur les différentes étapes à franchir avec les traitements de chimio, la doctoresse ponctuait chacune d'un mouvement de l'index qui avait fini par tracer un cercle dans le vide. Quand elle eut terminé son exposé, Christiane conclut :

— Et là, je suis complètement guérie... Même que je n'ai jamais été malade.

— Pardon ?

— Votre doigt est revenu à la case départ, à rien... À zéro.

La remarque la laissa d'abord interdite. Puis, peu à peu, elle glissa vers une envie de rire qu'elle contint jusqu'à ce que Christiane elle-même l'y autorise d'un de ses sourires ravageurs.

En vingt-sept ans de pratique, la gynéco-oncologue n'avait rencontré que quelques victimes de cancer capables d'un tel détachement dans des moments aussi graves.

— Le plus remarquable encore, c'est la personnalité de Christiane. Légère comme la féminité, mais d'un caractère bien trempé et conséquent.

De nouveau, je posai un baiser sur son front.

Quand j'ai quitté l'aile de la gynéco-oncologie, une jeune infirmière qui avait suivi Christiane de très près et à qui je serrais la main en la remerciant se pressa soudain contre moi en pleurant.

Le trajet dura un peu plus de quarante-cinq minutes.

La maison des soins palliatifs Vaudreuil-Soulange était située dans ce village du bord du lac Saint-Louis, Hudson, que Christiane aimait tant. En plus des promenades que nous venions y faire pour marquer chacune des saisons, nous y retournions souvent pour admirer la beauté des propriétés bordant les rues, véritables tunnels sous les branches des grands arbres, les massifs de fleurs que Christiane y repérait, le quai qui s'avançait dans toute la lumière des eaux du lac, les frémissements des voiliers amarrés dans l'anse qui multipliait les couleurs joyeuses. Cette ambiance à la fois feutrée et festive nous donnait chaque fois l'agréable impression d'être en vacances.

Entre bosquet et jardin, à la dernière résidence de Christiane nous fûmes accueillis avec toute l'attention et le respect souhaités.

Sa chambre se révéla une pièce moderne, mais chaleureuse, bien meublée d'un lit orthopédique, de deux fauteuils articulés plus que confortables, d'un écran plat de télé, d'un poste de radio, d'une penderie assez grande pour permettre le rangement des vêtements et effets de Christiane et de ceux de ses éventuels visiteurs. Un bureau et une imposante table de chevet complétaient cet aménagement qui, en tout, éloignait Christiane de sa chambre d'hôpital et a permis d'éviter qu'un climat de morbidité ne pèse sur ses derniers jours.

Pour, en quelque sorte, célébrer son arrivée, le soleil allumait le coloris des fleurs qui s'offraient à la vue par les grandes baies vitrées donnant sur un jardin.

Au moment où les infirmiers allaient nous quitter, après avoir installé Christiane dans son lit, je me suis approché pour les remercier.

L'un d'eux me glissa, le regard en biais vers ma bien-aimée :

— Vous, vous aimez beaucoup votre femme…

— Ça se voit ?

— On ne trouve pas tous les jours un mari dans le lit d'une femme qu'on doit transporter aux soins palliatifs…

Dorénavant, le seul objectif de la médecine était d'assurer le bien-être de Christiane, d'éliminer toute souffrance liée à son cancer et de lui permettre de vivre tout doucement et sans heurt le temps qui lui restait.

Quand nous fûmes seuls, nous nous sommes demandé ce qu'il allait maintenant advenir, ne sachant trop à quoi nous attendre. Allait-on venir chercher Christiane pour qu'elle subisse des tests ou lui expliquerait-on, tout simplement, le caractère des traitements ayant pour but d'améliorer ses conditions de vie par rapport à celles imposées par la chimio pendant les neuf derniers mois ?

Combien de temps allions-nous de nouveau attendre avant de savoir ?

Christiane n'eut pas à spéculer longuement, à tâtonner à l'aveuglette dans l'expectative de ce qui serait : une jeune femme blonde, jolie et au sourire engageant, vêtu un peu à la collégienne – jupe plissée et blouson pâle, à boutons et à collet amidonné – vint la rejoindre.

Sans en faire un geste machinal ou commandé, elle tendit à Christiane une main que celle-ci effleura.

— Je suis la docteur B., directrice médicale de cette maison. Vous croyez que vous vous plairez ici ?

Christiane eut un léger signe de tête. Son regard interrogeait, attentif. Elle était posée et quoi que le médecin puisse lui dire, j'étais persuadé que cela ne déclencherait pas chez elle une crise intérieure.

Avant d'aborder le cœur du sujet, la jeune femme fit des détours en parlant de la couleur du temps, de l'actualité et autres banalités. Puis du personnel qui entourerait Christiane, des soins qu'on lui prodiguerait, tels des massages et des bains en spa. Et elle l'assura que même sans appétit, elle reprendrait goût au plaisir de manger.

Bercée par cette voix lénifiante, Christiane ne quittait pas la directrice des yeux, et je me fis la réflexion que cette femme avait une façon d'être qui n'appartenait à personne. Et qu'il fallait qu'il en soit ainsi pour aborder la question essentielle, la mort certaine de Christiane.

Quel est le langage de la fin de l'existence ?

À cette étape de la conversation, la docteure cessa de tergiverser et alla droit au but :

Christiane entrait dans le processus de la mort. Tous les soins qu'on lui prodiguerait, tous les médicaments qu'on lui prescrirait, rien n'aurait pour but de combattre son cancer, seulement de garantir son bien-être.

Elle précisa que Christiane ne serait plus intubée, qu'il n'y aurait plus de soluté, de transfusion de sang, d'infusion de magnésium ou autres injections, pas même dans le but de liquéfier les deux caillots (car il s'en était formé un autre) qui, de toute façon, avaient résisté aux tentatives de traitement.

Tout en parlant, elle prenait le pouls, écoutait les battements du cœur, regardait les pupilles et posait, mine de rien, des questions sur l'état général de Christiane, à savoir, comment elle se sentait, si elle respirait aisément, si ses intestins fonctionnaient, si elle éprouvait d'autres maux que ceux de son abdomen, etc. Elle termina cet examen sommaire en lui disant qu'il faudrait la peser.

Enfin, elle lui confia qu'à moins d'imprévisible revirement de la situation, elle s'éteindrait en dormant, sans souffrir. Elle répéta : aucune douleur à partir de maintenant ; tout serait mis en œuvre pour que Christiane coule ses derniers jours sans soubresauts affligeants.

— Des questions ?

— Vous ne me prescrirez pas de morphine, j'espère ?

— Je ne crois pas que ce sera nécessaire. Vous êtes très faible et cela est dû surtout au mal sournois qui n'arrête pas de vous gruger de l'intérieur. Sa progression continuera de vous affaiblir et, à mon avis, le point de non-retour sera atteint avant que ne se manifeste la douleur.

— Parce que je ne veux sous aucune considération qu'on me donne de la morphine.

— Et pourquoi donc ?

Avec un sérieux sans nuance, Christiane eut alors cette réponse en calque d'elle-même :

— Parce que je ne veux pas mourir morphinomane.

La docteure B. sourit, pas tant de la candeur de cette réplique que parce qu'elle confirmait une fois de plus ce qu'elle avait observé chez les malades en phase terminale : on meurt comme on a vécu.

Souvent, elle aurait l'occasion de me le rappeler lorsque je constaterais à quel point Christiane conservait jusqu'au dernier moment ses habitudes de vie : se brosser les dents régulièrement, manger avec de bonnes manières en évitant les mets trop salés, trop sucrés, pas trop bons pour la santé, accueillir ses visiteurs toujours bien mise, coquette et attentive, soigner son langage, etc.

À peine la docteure eut-elle franchi la porte qu'une infirmière accompagnée d'une dame qui se présenta comme aide auxiliaire pénétrèrent dans la chambre. Au chevet de Christiane, elles prirent le temps de se présenter et de converser avec une tendresse toute maternelle.

Je profitai de leur présence pour aller retrouver la docteure B. Je désirais m'informer des conclusions auxquelles elle en venait après sa consultation.

Elle me confia que Christiane lui avait paru très, très faible, et sa condition générale, très perturbée. Elle estimait que Christiane en avait pour environ quatre jours.

Peut-être moins.

Chapitre treize

L'esprit de Christiane restait fort.

On l'entourait de soins et d'affection. De tendresse aussi. Ce que le personnel de l'hôpital n'avait pu lui manifester, obligé qu'il était de courir pour répondre à des besoins dépassant souvent leur capacité d'agir.

Peu à peu, elle avait commencé à manger, même sans appétit, pour le seul plaisir de goûter les mets qu'on lui préparait avec un souci gastronomique. Au début, elle choisit ses menus en respectant son habitude de bien se nourrir, de ne pas «abuser des bonnes choses», refusant les desserts trop gourmands et les plats en sauce. Puis, je lui fis comprendre qu'elle devrait profiter de tous les plaisirs que la vie lui permettait encore. Je me souviens de son visage réjoui ce midi où elle dégusta une portion de tarte au sucre. Avec le petit bonheur d'un enfant qui a commis un larcin, elle m'avoua, appuyant chaque mot d'une expression quasi émerveillée :

— C'était très bon...

Chaque matin, je la retrouvais assise dans son fauteuil tourné vers les fleurs. Elle ne souriait pas à mon arrivée, mais accueillait avec une attitude très réceptive le baiser que je posais sur ses joues. Déjà – il était alors autour de huit heures seulement – elle avait revêtu une de ces belles chemises de nuit, accepté qu'on la maquille un peu et était en conversation avec une des infirmières ou des bénévoles qui apportent leur soutien moral aux pensionnaires de cette maison. Ces dernières, contrairement à celles que j'avais croisées à l'hôpital, étaient toute sympathie à mon endroit, intéressées à mes états d'âme autant qu'à ceux de Christiane. Je ne les sentais pas astreintes à leur bénévolat, mais plutôt heureuses d'avoir l'occasion de le pratiquer. Cela allait jusqu'à la reconnaissance qu'elles portaient aux malades d'accepter leur soutien. Des femmes d'une parfaite éducation, conciliantes et généreuses, empathiques et à l'écoute.

On n'aurait pu en dire moins du personnel hospitalier. Tout un chacun dans cette équipe avait le cœur sur la main et l'offrait à Christiane sans retenue. Jamais n'approchait-on ma bien-aimée autrement qu'avec une immense considération, ne se satisfaisant pas de lui parler avec des mots doux comme une caresse, mais la touchant, lui lissant la peau du visage. Ces femmes lui prenaient les mains et s'enquéraient de son bien-être, lui offraient d'autres soins pour améliorer celui-ci et la priaient de ne pas hésiter à les appeler à la moindre inquiétude, la moindre nécessité ou si elle avait une chute de moral ou un coup d'angoisse.

Christiane, ma Christiane était là pour mourir. Mourir dans la dignité et sans souffrir, mais mourir quand même. Alors, il s'établit entre nous un étrange dialogue : je lui demandais comment elle vivait cette éventualité – pas par curiosité, mais pour comprendre et la soutenir de la meilleure façon – et elle me questionnait sur mon organisation de célibataire lorsqu'elle ne serait plus là.

Elle m'expliquait que ses papiers étaient en ordre, que je devrais rencontrer la comptable qui préparait sa déclaration fiscale et me mettrait au fait de tout, et elle insistait sur le fait que je n'aurais plus à gagner ma vie et devrais me consacrer exclusivement à l'écriture.

Parfois, elle me faisait répéter ce que plusieurs fois déjà elle m'avait dit, répéter comme une leçon apprise. Pour lui plaire, je m'exécutais, toujours avec une boule près d'éclater dans ma gorge, car je n'avais rien à faire de ce futur que j'appréhendais, ne parvenant pas à l'imaginer sans elle.

La femme que j'aimais, mon épouse et ma compagne, la mère de mes enfants, allait mourir. Cet amour qui avait fait de moi ce que je suis devenu, ce que j'avais souhaité devenir, allait s'éteindre et avec lui, s'éteindraient tous les feux de mes ambitions, de mes projets, de mon quotidien même. Cette femme à qui je devais mes plus grandes ivresses, mes bonheurs les plus fulgurants, qui m'avait aimé, soutenu, encouragé, guidé, pardonné et fait père allait, par une incroyable injustice du destin, mourir. Elle, le pivot de mes incertitudes, la justification de tous mes courages, la récompense de toutes mes réussites.

Et puis, c'était la « femme », cet être que tout homme recherche dans une idéalisation de la beauté, de la douceur et de la volupté. Combien de fois n'avait-elle pas reposé sa tête sur mon épaule pour me donner la plus improbable des reconnaissances, celle où elle me priait de croire que je lui apportais quelque chose, que j'étais à la hauteur.

Plus le temps s'écoulait, plus elle dépérissait. Son corps fondait, ses membres trop maigres et trop faibles pour servir l'embarrassaient.

Malgré ces trahisons de son organisme, elle continuait d'être exactement elle-même. Elle accueillait la déferlante de visiteurs avec le même maintien qu'elle aurait adopté dans son salon et se prêtait tout entière aux propos qu'on lui tenait. Surtout, elle s'informait des autres, manifestement s'en inquiétait et offrait ses conseils quand elle était persuadée qu'ils pourraient être utiles. Elle souhaitait que ces rencontres (multiples : elle reçut jusqu'à quinze visiteurs par jour) soient détendues et il lui arrivait de briser la tension qui allait s'installer en racontant quelques blagues, en sollicitant d'autres en retour.

Nos fils lui téléphonaient chaque jour et trouvaient des mots plus efficaces que les miens pour l'aider à retenir les forces de son courage qui tendaient à se diluer. Ils venaient la visiter aussitôt qu'ils le pouvaient, souvent accompagnés de leur épouse et des enfants. Chaque fois, ils se désolaient de constater combien elle diminuait. C'était vrai, mais à vivre constamment près d'elle, je m'en rendais moins compte.

Au bout d'un mois, Christiane était toujours parmi nous et je me demandais même si on ne pouvait pas reprendre les traitements contre le cancer, compte tenu de la stabilité de sa condition.

La docteure B. m'expliqua qu'il ne saurait en être question, car, même si les soins palliatifs le masquaient, le cancer avait encore progressé et progressait toujours. Depuis que le délai de quelques jours qu'elle avait donnés à vivre à Christiane était nettement dépassé, elle n'osait plus faire de prédiction et se limitait à dire :

— C'est Christiane qui va décider.

Il n'empêche que j'avais des moments de confiance et voyais alors Christiane rentrer à la maison, en rémission.

Souvent, je la sortais sur l'une des terrasses où, à mes côtés, elle savourait l'allégresse du printemps avec avidité, cherchant du regard et trouvant les premiers bourgeons aux arbres qu'avait dépouillés l'hiver, et relevant d'une journée à l'autre l'éclosion des fleurs hâtives.

Elle demeurait des heures à contempler ainsi la nature qui revivait, alors qu'elle-même quittait lentement sa propre vie et dans ces moments, sans doute parvenait-elle à taire ses pensées, celles qui la conduisaient au fond de son être, là où l'on découvre combien on est peu de chose et sans moyens face à la mort.

Je lui demandais :

— À quoi penses-tu ?

— … à rien.

— Mais ce n'est pas possible.

— Si. Ça s'apprend.

Parfois, j'appuyais mon visage contre sa joue tiède et elle battait ses cils contre ma peau. Et s'il m'arrivait à son chevet de ne penser à rien, d'épuisement ou parce que j'étais à bout de mes émotions, c'était en fait des moments de stupeur, de vide. Même quand nous nous taisions, il y avait beaucoup plus que le silence entre nous, car ces heures immobiles nous les vivions ensemble et c'étaient des moments d'infini.

Plusieurs fois par jour, je la prenais dans mes bras et je crois qu'il lui arrivait, enveloppée de ma tendresse, de croire qu'elle s'en sortirait, ou plutôt d'oublier qu'elle n'y croyait pas.

D'autres semaines ont passé. Chacun de ses matins s'ouvrait sur des jours identiques et Christiane mourait à petits mots, à petits bruits, à petits riens...

Peu à peu sa voix s'est fissurée, ses gestes se sont appesantis. Son regard s'est affadi et sa vue lui devint presque inutile tant il lui en restait peu.

Quand même, elle demeurait présente, tout aussi attachante et réceptive aux autres. Il lui arrivait même encore de faire des traits d'humour, et ce, dans des circonstances où l'on ne s'y attendait pas du tout.

Ainsi, un soir qu'elle parvenait à peine à demeurer éveillée, elle qui refusait toujours de dormir avant neuf heures, croyant qu'autrement elle ne pourrait faire ses nuits, une infirmière, la voyant la bouche entrouverte et la respiration sifflante, humecta une éponge au bout d'un bâtonnet et lui en badigeonna les lèvres, la langue et le palais.

Christiane accueillit cette intrusion sans réaction apparente.

Nous étions trois autour de son lit, moi, l'infirmière, et une aide aux soins. Cette dernière, qui portait à Christiane une véritable affection filiale, eut ce commentaire :

— Cela doit lui faire autant de bien qu'une gorgée de bière froide sur une terrasse en été.

On entendit alors le filet de voix de Christiane, elle qui n'avait pas parlé depuis la veille et venait de traverser une de ses plus difficiles journées :

— Faudrait quand même pas exagérer...

C'est de soulagement dans la chute de notre tension et au bord des larmes, avec une joie chargée d'émotion, que nous avons ri de bon cœur.

À un autre moment, alors qu'elle essayait de me convaincre qu'elle était sereine devant la mort et que de nous deux, c'était moi le plus à plaindre, car je ne serais pas, comme elle, délivré des vicissitudes de la vie, elle m'encouragea en me disant qu'elle continuerait de veiller sur moi. Et pendant que je digérais lentement ses paroles, elle ajouta :

— Tu prendras garde cependant de ne pas m'*achaler* à tout instant, car j'aurai besoin de repos et serai très sollicitée par mon nouvel environnement...

Ce sourire... Le sourire malicieux de Christiane lorsqu'elle me moquait. Où trouvait-elle ce courage, cet entêtement ? Oui, elle m'avait dit que depuis février déjà elle s'était apprivoisée à l'idée de mourir, qu'elle avait poursuivi son combat jusqu'en mai pour nous, pour ne pas décevoir nos espoirs, et qu'elle aurait continué plus longtemps, tout en sachant l'issue fatale, si seulement elle en avait eu la force.

Mais cette résolution ne suffit pas à expliquer tout son héroïsme.

Peut-être parce qu'elle avait compris le caractère fugace des choses, il lui était aisé de lâcher prise en considérant qu'il n'y a plus d'avenir possible, plus d'issue à la fatalité, que son destin avait frappé son dernier coup.

Un dimanche à la fin de juin, mes fils suggérèrent que j'obtienne l'autorisation d'utiliser un des salons de la résidence pour y célébrer leur mère. Ils désiraient organiser une fête qui réunirait autour d'une table toute la famille, c'est-à-dire eux deux, leur épouse et leurs enfants. Ils désiraient disposer de tout le temps nécessaire pour que les deux petits-fils et la petite-fille de Christiane vainquent leurs réticences à approcher leur mamie. L'image tellement décrépite que leur donnait leur grand-mère les confondait; et son visage très amaigri rendait ses beaux yeux exorbités, ce qui les effrayait presque. Ils savaient qui c'était, mais ils ne la reconnaissaient pas.

Non seulement ai-je obtenu l'aval de l'administration, mais c'est tout le personnel qui s'activa afin de décorer et de meubler un des salons pour en faire la plus belle pièce de la maison. Pour ne pas être en reste, à la cuisine, on prépara un brunch copieux et varié.

Je regarde en ce moment les photos que la mère de ma belle-fille, Stéphanie, Anna Madran, a prises de nous entourant Christiane. Sur ses genoux, Dahlia sourit d'avoir retrouvé sa mamie comme au temps où elle lui lisait ses histoires préférées avant qu'elle ne s'endorme, la tête emplie de fées et de princes charmants; Samuel et Damien sont tout contre leur grand-mère, debout à la hauteur de ses genoux, peut-être un peu jaloux de la position privilégiée de la fillette. Nos deux fils sourient du même sourire que nos belles-filles, Julie et Stéphanie.

Au centre de la photo, Christiane parvient à esquisser une expression presque heureuse : mais trop de flammes se sont éteintes dans ses yeux pour qu'ils reflètent tout le bonheur nostalgique qu'elle prend à ce qu'elle sait être notre dernière réunion familiale.

Après ce dimanche, les choses se sont aggravées. Au milieu de la semaine, Christiane ne pouvait plus marcher. Je la soutenais du lit à son fauteuil, car encore elle refusait de s'aliter pendant le jour. Quelques personnes qui l'ont alors visitée ont dit que Christiane avait des moments de confusion ; pas du tout, elle conserva sa lucidité jusqu'à la toute fin. Ainsi, elle nous corrigeait sur des dates, rectifiait les prénoms et les noms de famille. Un après-midi, elle me reprit même pour avoir mélangé Charles VII et Charles IX. De la même manière, elle conservait un langage exact, ne commettait ni faute de syntaxe ni de mauvais usage, et ne manquait pas de me reprendre quand moi je fautais. C'était une agacerie récurrente entre nous, agacerie qui ne m'a jamais importuné.

Elle s'allongeait, un peu comme on s'étire, et on l'aurait crue paisible ; mais sa respiration rauque et embarrassée annonçait la fin : ses poumons étaient attaqués.

Vint le jour où elle m'annonça que dorénavant elle n'accepterait plus de visiteurs. Elle
me demanda de prévenir parents et amis, avec
retenue cependant, car elle ne voulait pas qu'on
s'apitoie sur son sort.

Puis ce furent les appels téléphoniques : elle
ne désirait plus parler à personne. Enfin, elle
requit que je vide sa chambre de tous les objets
lui appartenant et que nous avions apportés
pour créer autour d'elle une certaine familiarité
de décor.

Ces replis de plus en plus hermétiques sur
elle-même, qu'elle assumait avec une humeur
paisible, m'interpellaient. Je devinais qu'il s'agissait fort probablement d'un processus par lequel
elle renonçait aux sentiments extérieurs, sachant
que plus rien ni personne ne pouvait lui apporter
quoi que ce soit et qu'en retour elle ne servirait
plus à rien pour personne.

J'en discutai avec la docteure qui confirma ma
compréhension du comportement de Christiane.
Par la même occasion elle me fit une demande
pressante.

Selon les données de son dossier, le décès
aurait dû survenir plusieurs semaines auparavant. Christiane était en soins palliatifs depuis
près de deux mois ! Selon son expertise des
malades en fin de vie, cela ne pouvait s'expli-

quer que par des facteurs ne relevant pas de la médecine.

— C'est Christiane qui décidera du moment de son départ.

— Mais elle ne peut quand même pas vivre sans manger ni boire. Elle n'a rien pris depuis plus de dix jours maintenant.

D'un geste d'apaisement, la docteure m'interrompit et compléta son propos :

— Bien sûr viendra le temps où elle s'éteindra parce que son cœur, vidé de toutes ses énergies, s'arrêtera de battre. Cependant, elle pourrait aussi s'étouffer avant, ses poumons fonctionnant de moins en moins.

Elle se tut, le temps que j'accuse le coup, puis ajouta :

— Mais ce n'est pas ainsi qu'elle veut mourir…

— Alors ?

— Christiane, comme c'est toujours le cas chez les personnes totalement en contrôle d'elles-mêmes, attend que vous lui disiez qu'elle peut partir.

— …

— Je crois savoir que vos fils le lui ont dit.

— Moi aussi, il me semble.

— Il vous semble… À mots couverts peut-être ?

— Peut-être...

— Cela ne suffit pas. Vous devez franchement et sans équivoque lui permettre de décrocher, l'autoriser à se laisser mourir doucement sans plus s'inquiéter de vous. Car, actuellement, elle s'en fait beaucoup à votre sujet. Je crois qu'elle ne parvient pas à s'imaginer comment vous allez surmonter l'épreuve de sa mort. Et cela occupe tout ce qui lui reste d'esprit.

À l'écouter, mes pensées progressaient et j'en vins à lui donner raison.

— Quand ?

— Maintenant...

Elle n'attendit pas que j'acquiesce, déjà elle se levait et s'engageait dans le corridor :

— Alors, vous venez ?

Elle me laissa pénétrer seul dans la chambre.

Je m'approchai du fauteuil de Christiane, ne me donnai pas la peine de tirer une chaise et posai un genou par terre. Je pris ses deux mains. Christiane, toujours alerte derrière son masque profondément marqué par la maladie, me dit alors, la voix hachée et chevrotante :

— Tu vas me redemander en mariage ?

Et elle fit un effort pour aspirer quelques bouffées d'air et sourire. À ce moment j'eus la certitude que l'envie de vivre la tenaillait encore et les mots que je devais lui dire me parurent ceux d'une condamnation. Mais depuis la porte, un regard insistant me rappela à l'ordre.

Avec la plus grande tendresse, je dis donc à Christiane qu'elle pouvait partir. Que sans le souhaiter, je le voulais pour elle et pour nous tous qui comprenions que le calvaire avait assez duré. Aussi je la remerciai de nous avoir donné encore deux mois d'elle-même, afin qu'on puisse la chérir et nous réconcilier nous aussi avec l'incontournable vérité de sa mort.

Face à l'abîme, de sa voix inquiète elle me dit :

— Alors, maintenant je vais dormir...

Le soleil inondait la chambre et Christiane rayonnait de toute sa bonté.

J'essayais d'imaginer l'ampleur de sa souffrance intérieure à l'idée de mourir, mais elle devina la teneur de mes réflexions et me répéta qu'elle était sereine, à présent profondément sereine, et qu'elle voulait seulement dormir.

Je lui demandai si elle accepterait de venir avec moi une dernière fois sur la terrasse qui donnait sur le jardin de fleurs. Elle me tendit ses bras devenus rachitiques et je l'aidai à prendre place dans le fauteuil roulant que j'appelais la bête à tentacules tellement il avait d'extensions.

Après seulement quelques minutes dehors, les lèvres de Christiane laissèrent passer un souffle :

— Pierre... je ne suis plus capable...

Je l'ai donc reconduite à sa chambre.

Cette fois elle décida de se coucher plutôt que de réintégrer le confort douillet de son fauteuil. Sa sœur m'aida à la disposer au mieux, et ma Christiane s'endormit.

Elle ne devait plus ouvrir les yeux, ni plus parler ni plus bouger. Et dans les heures qui suivirent, elle entra dans un demi-coma.

Un matin, je lui murmurai à l'oreille :

— Christiane, est-ce que tu m'entends ?

D'un mouvement très lent de la tête elle fit oui. J'ai continué de lui parler, mais sans plus aucune réaction de sa part.

Le lendemain elle était plongée dans un coma profond.

Quatre jours plus tard, mardi 8 juillet, alors que je revenais à la chambre après avoir mangé un morceau, je me suis penché sur elle et l'ai soulevée pour la presser contre moi comme je le faisais environ toutes les deux heures.

En basculant sa tête sur mon épaule je lui fis remarquer combien son corps manquait maintenant de souplesse et combien je craignais de la briser. Je lui dis ces mots comme on dorlote un enfant. Bien sûr, Christiane ne réagit d'aucune manière, mais son souffle caressa mon oreille à deux courtes reprises.

Ce furent ses derniers soupirs.

Je l'ai alors étendue sur le lit, j'ai pris sa tête entre mes mains, mon visage près du sien, comme je le faisais souvent après nos étreintes, alors qu'elle me souriait avant que je me love dans son cou, repu et heureux :

— Tu es partie, Christiane, tu es partie ?

Je me suis couché contre elle, l'ai prise dans mes bras. Son corps était chaud : elle dormait comme après l'amour.

Épilogue

Est-ce que Christiane existait davantage que moi ou est-ce que j'existais par elle ? Maintenant que sa présence avait cessé de nourrir ma vie, il me semblait devoir me réinventer. J'avais perdu mes repères, voire mes réflexes. Je ne me reconnaissais plus, n'entreprenais même plus de me chercher, ç'aurait été perte de temps : on ne se refait pas en regardant par-dessus son épaule.

Seul au salon, le lendemain de son décès, je demeurai pétrifié. J'étais tombé en apnée à l'instant de la mort de ma bien-aimée et il me semblait que je cherchais encore mon souffle. Je réalisais brutalement que je ne la reverrais jamais, que jamais que je saurais où elle était, si elle me voyait, si elle m'entendait, si elle m'aimait encore. Mes notions rationnelles, affectives, psychologiques, toute ma vie intérieure, étaient bousculées.

Son souvenir serait intemporel mais je me préparais intensément à vivre dans sa mémoire.

Dans cette maison qui avait été la nôtre, la disposition des meubles, des cadres au mur, de la vaisselle dans les armoires, du linge dans les tiroirs et les penderies, c'était elle et cela le resterait.

Je devais prendre des résolutions, car Christiane a toujours été à la hauteur de la vie et il me faudrait être digne. Quoi qu'il advienne, je porterais toujours sa marque, personne, et certainement pas un autre amour, ne pourrait l'effacer.

Alors que j'allais me coucher, quoique persuadé que je ne saurais trouver refuge dans un sommeil plus qu'incertain, le téléphone a sonné. J'ai tangué au-dessus du combiné, n'ayant pas l'esprit à la conversation. Puis je crois que je me suis dit que ce pouvait être l'un de nos... de mes fils et j'ai décroché.

— Allo, oui...

— Bonjour ! C'est Geneviève.... Vous ne me connaissez peut-être pas. Puis non, je sais comment Christiane et vous êtes un couple *serré* et elle a dû vous raconter...

Je balbutiai :

— Elle m'a parlé de vous, oui. Tout derniè-
rement...

— Est-ce que je pourrais lui parler, s'il vous
plaît ?

Que répondre ? J'avais la tête complètement
déboussolée par dix mois de peines et mon
cœur se refusait à prononcer le mot fatidique, à
rapporter l'événement qui avait brisé ce couple
si serré, comme venait de le qualifier la jeune
femme.

Alors j'ai tout simplement dit :

— Quelque chose est arrivée à Christiane...

Remerciements

La mort de ma bien-aimée m'ayant laissé dans un état émotionnel perturbé que nourrissaient les souvenirs cruels jaillissant à tout moment des décors quotidiens de notre résidence, mes fils me suggérèrent, quelques mois après l'événement, de « franchir le pas », de sortir de la maison pendant quelque temps.

Je décidai d'aller en France. En Corrèze plus précisément, où m'accueillirent Jean et Danielle Décay, un couple d'amis très proches de Christiane et moi-même. Pendant plus d'un mois, ils m'ont logé, nourri et, plus encore, soutenu de toute leur tendresse et amitié à la fois dans mon chagrin et dans la rédaction de ce livre.

D'autre part, plusieurs pages de cet ouvrage ont été écrites dans la bibliothèque de mon bon ami, l'écrivain Michel Peyramaure, à qui je lisais parfois quelques pages et qui m'encourageait surtout à ne pas changer de ton et à écrire jusqu'au bout mon amour pour Christiane.

Qu'ils en soient mille fois remerciés et acceptent toute ma reconnaissance en gage de ma profonde affection.

PIERRE CARON,
Coteau-du-Lac, avril 2014

ON PEUT COMMUNIQUER
AVEC PIERRE CARON À :
ecrivain@pierrecaron.com

SES PLATEFORMES SOCIALES SONT :

Site Web
www.pierrecaron.com

Blogue
http://pierrecaron.com//blogue

Facebook
http://www.facebook.com/ecrivainpierrecaron

Twitter
@pcaron_ecrivain

LinkedIn
http//ca.linkedin.com/pub/pierrecaron/46/79a/553